Feridun Zaimoglu
Kanak Sprak

Feridun Zaimoglu hat die wilden und radikal authentischen Bekenntnisse junger Männer türkischer Abstammung aus der Sprache dieser »Kanakster«, einer Mischung aus heimatlichen Dialekten und Straßendeutsch, in all ihrer Härte und Poesie in ein lesbares, nahezu hörbares Deutsch übertragen. Ein schriller, anarchischer Kanon der Mißtöne aus dem Kosmos von Kanakistan, einem unbekannten Landstrich am Rande der deutschen Gesellschaft – ein veritables und kräftiges Stück Literatur.

Was auch immer du anstellen magst, den fremdländer kannst du nimmer aus der fresse wischen. Und noch eins: wir sind alle anbieter, nur das land is mager, das land drückt deinen eignen stil. Deshalb ist das land so richtig im arsch, da geb ich dir'n siegel.

Foto: Ekko von Schwichow

Feridun Zaimoglu, Schöpfer der »Kanak Sprak«, wurde 1964 im anatolischen Bolu geboren, seit über 35 Jahren lebt er in Deutschland. Er studierte Kunst und Humanmedizin in Kiel, wo er seither als Schriftsteller, Drehbuchautor und Journalist arbeitet.

Von Feridun Zaimoglu sind folgende Bücher im Rotbuch Verlag erschienen: *Abschaum* (1997), *Koppstoff* (1998), *Liebesmale, scharlachrot* (2000), *Leinwand* (2003).

Feridun Zaimoglu

Kanak Sprak

24 Mißtöne vom Rande der Gesellschaft

Rotbuch Verlag

Bibliografische Information Der Deutschen Bibliothek

Die Deutsche Bibliothek verzeichnet diese Publikation in der
Deutschen Nationalbibliografie; detaillierte bibliografische Daten
sind im Internet über http://dnb.ddb.de abrufbar

6. Auflage
© Rotbuch | Sabine Groenewold Verlage, Hamburg 2004
© Europäische Verlagsanstalt/Rotbuch Verlag, Hamburg 1995
Umschlaggestaltung: projekt ® | Barbara Hanke, Hamburg
unter Verwendung einer Fotografie von SIE Productions/Corbis
Herstellung: Das Herstellungsbüro, Hamburg
Druck und Bindung: Poligrafia Janusz Nowak
Printed in Poland
Alle Rechte vorbehalten
ISBN 3-434-54518-2

Informationen zu unserem Verlagsprogramm
finden Sie im Internet unter: www.rotbuch.de

Inhalt

Für Emine Çeçen und Taksin Zaimoglu

Kanak Sprak

24 Mißtöne vom Rande der Gesellschaft

Wie lebt es sich als Kanake in Deutschland, war die Frage, die ich mir und anderen gestellt habe. *Kanake,* ein Etikett, das nach mehr als 30 Jahren Immigrationsgeschichte von Türken nicht nur Schimpfwort ist, sondern auch ein Name, den »Gastarbeiterkinder« der zweiten und vor allem der dritten Generation mit stolzem Trotz führen.

Es begann damit, daß die Idee einer temporären »Gastarbeit« in Deutschland sich als nicht lebbar herausstellte: »Gastarbeiterkinder« wurden geboren, »Immigranten der zweiten Generation«, die erste Generation der Kanaken. In Deutschland wuchsen sie auf, hier gingen sie zur Schule. In der Schule wurde deutsch, zu Hause türkisch gesprochen. Sie wohnten in engen, schäbigen Verschlägen und kalten Häusern, in denen es von der Decke tropfte und die Wände Risse zeigten. Die Mütter standen den ganzen Tag in der Küche, zeigten die ersten Gebrechen. Die Väter bekamen krumme Rücken, Magengeschwüre und griffen öfter zum Prügelstock. Die Mädchen werden auf ihre traditionelle Rolle als

9

Ehefrau vorbereitet. Ihre prägenden Erfahrungen machen sie aber außerhalb des Elternhauses.

Auf der Straße, im Supermarkt, in der Disco ist von *Zumutung* die Rede, vom *vollen Boot* und vom *seidenen Geduldsfaden*. In den Klassenzimmern wird es still, wenn die »Kümmel« eintreten. Aufgeweckte Kinder werden zu Problemfällen gestempelt und wandern in die Sonderschulen. Die Deutschen versuchen, aus der Misere schlau zu werden. Studien werden in Auftrag gegeben, Statistiken erstellt, die Migrationsforschung zeitigt Ergebnisse: Man spricht von der Ambivalenz, die das Leben in zwei Kulturen mit sich bringe, einem Generationenkonflikt in der türkischen Familie und schließlich vom fehlenden Integrationswillen. Wahlrecht, doppelte Staatsbürgerschaft etc. sind noch nicht einmal öffentliche Themen.

In dieses Klima hinein wird die zweite Kanakengeneration geboren. Sie ist, wie die meisten Deutschen, weit davon entfernt, der Türkei mehr Beachtung zu schenken als einem Urlaubsland. Sie erlebt, wie die alten und erschöpften Gastarbeiter ihre Koffer packen. Viele Türken nehmen das Rückkehrhilfegesetz in Anspruch und ziehen mit der Abfindung in die Heimat zurück, auf daß sich ihr Traum vom Leben noch zu Lebzeiten erfülle. Die Kinder werden aus dem vertrauten Milieu herausgerissen und im Land ihrer Väter und Mütter einer Zwangsassimilation ausgesetzt. Nicht wenige Kinder begehen Selbstmord, viele erkranken auf Dauer psychosomatisch. Sie werden in den türkischen

Dörfern und Städten als »Deutschländer« angefeindet.

Die bleiben, wissen davon, wissen, daß sie nicht zurückkehren können. Auf das ungemütlicher, gar bedrohlich werdende Deutschland reagieren türkische Eltern mit der Forderung nach unbedingter Treue zur Tradition, mit dem Bekenntnis zum Gastarbeiter-Ethos in den Ghettos. Manche entdecken die Religion neu. Eine mögliche Assimilation erstickt im Korsett deutscher Paragraphen. Der Weg in die endgültige Auflösung der Gruppe, die nie eine homogene »Ethnie« gewesen ist, ist vorgezeichnet. Als selbstbewußtes Individuum aber existiert der Kanake auch nur auf dem Paßfoto. Er lebt in dem Gefühl, minderwertig zu sein, fehlzugehen oder auf Abwege zu geraten. Manch einer wandert als krankes Exotikum in die geschlossene Abteilung: Impotenz als freiwillige Selbstverstümmelung, Depressionen, Schizophrenie. Die draußen bleiben, sind einer neuen Form modischer Vereinnahmung ausgesetzt: dem Märchen von der Multikulturalität.

Der Kanake taugt in diesem Falle als schillerndes Mitglied im großen Zoo der Ethnien, darf teilnehmend beobachtet und bestaunt werden. »Türkensprecher« gestalten bunte Begleitprospekte für den Gang durch den Multikulti-Zoo, wo das Kebab-Gehege neben dem Anden-Musikpavillon plaziert wird.

Eine weinerliche, sich anbiedernde und öffentlich geförderte »Gastarbeiterliteratur« verbreitet seit Ende der 70er Jahren die Legende vom

11

»armen, aber herzensguten Türken Ali«. Sie verfaßt eine »Müllkutscher-Prosa«, die den Kanaken auf die Opferrolle festlegt. Die »besseren Deutschen« sind von diesen Ergüssen »betroffen«, weil sie vor falscher Authentizität triefen, ihnen »den Spiegel vorhalten«, und feiern jeden sprachlichen Schnitzer als poetische Bereicherung ihrer »Mutterzunge«. Der Türke wird zum Inbegriff für »Gefühl«, einer schlampigen Nostalgie und eines faulen »exotischen« Zaubers.

Die deutschen Ausländerbeauftragten sind froh, mittels ABM und BSHG 19 eine Stelle gefunden zu haben und stümpern mit dem Viertelwissen ehemaliger Honorarkräfte vor sich hin. Aber schon um einen Namen für seine Klientel ist man verlegen: »Gastarbeiterkind«, »ausländischer Mitbürger« oder eben doch »Türke«? Der Volksmund weiß es besser: Er spricht vom »Kümmel« und »Kanaken«.

Den Kanaken schiebt man Sitten und Riten zu wie einen Schwarzen Peter. Von außen betrachtet kommen sie nur als amorphe Masse von Lumpenproletariern vor, die man an Äußerlichkeiten und »spezifischen Eigenarten« zu erkennen glaubt. Auch wenn sie zu einer endgültigen Entscheidung gezwungen würden, die Kanaken suchen keine kulturelle Verankerung. Sie möchten sich weder im Supermarkt der Identitäten bedienen, noch in einer egalitären Herde von Heimatvertriebenen aufgehen. Sie haben eine eigene innere Prägung und ganz klare Vorstellungen von Selbstbestimmung. Sie bilden die eigentliche Generation X, der Individuation und Ontogenese verweigert worden sind.

Längst haben sie einen Untergrund-Kodex entwickelt und sprechen einen eigenen Jargon: die »Kanak-Sprak«, eine Art Creol oder Rotwelsch mit geheimen Codes und Zeichen. Ihr Reden ist dem Free-Style-Sermon im Rap verwandt, dort wie hier spricht man aus einer Pose heraus. Diese Sprache entscheidet über die Existenz: Man gibt eine ganz und gar private Vorstellung in Worten.

Die Wortgewalt des Kanaken drückt sich aus in einem herausgepreßten, kurzatmigen und hybriden Gestammel ohne Punkt und Komma, mit willkürlich gesetzten Pausen und improvisierten Wendungen. Der Kanake spricht seine Muttersprache nur fehlerhaft, auch das »Alemannisch« ist ihm nur bedingt geläufig. Sein Sprachschatz setzt sich aus »verkauderwelschten« Vokabeln und Redewendungen zusammen, die so in keiner der beiden Sprachen vorkommen. In seine Stegreif-Bilder und -Gleichnisse läßt er Anleihen vom Hochtürkisch bis zum dialektalen Argot anatolischer Dörfer einfließen. Er unterstreicht und begleitet seinen freien Vortrag mimisch und gestisch. Die reiche Gebärdensprache des Kanaken geht dabei von einer Grundpose aus, der sogenannten »Ankerstellung«: Die weit ausholenden Arme, das geerdete linke Standbein und das mit der Schuhspitze scharrende rechte Spielbein bedeuten dem Gegenüber, daß der Kanake in diesem Augenblick auf eine rege Unterhaltung großen Wert legt. Ballt der Kanake beispielweise die rechte Faust, um sie blitzschnell zu öffnen und die Hand zu fächern, will er seine Mißbilligung oder seine Enttäuschung zum Ausdruck bringen. Streicht er sich mit einem angefeuchteten Zeigefinger über eine Augenbraue, so möchte er seine Kompetenz oder einen gelungenen Spruch anerkannt wissen. Und über die einzelne charakteristische Gebärde hinaus signalisiert der Kanake: Hier stehe ich und gebe mit allem, was ich bin, zu verstehen: Ich zeige und erzeuge Präsenz.

Weil sich die Kanak Kids in den Straßen bewegen, sprechen sie einen sich laufend weiterentwickelnden symbolischen Jargon, der häufig als blumige Orientalensprache mißverstanden wird. Dieser Folklore-Falle mußte meine Nachdichtung entgehen. Deshalb enthält die deutsche Übertragung nur die Anrede »Bruder« und nicht gözüm (mein Auge), gözümün nuru (mein Augenlicht) oder vieles andere. Der Kanake sagt, wörtlich übersetzt, »Haßhand teilt gerne aus, bricht sich aber viele Knochen« und meint »wer von Haß erfüllt ist, greift ohne Rücksicht auf Verluste zur Gewalt«. Der Kanake sagt »Gott fickt jede Lahmgöre« und meint »wenn man weiterkommen will, muß man sein Schicksal selbst in die Hand nehmen«. Dies war bei der Nachdichtung ebenso zu berücksichtigen wie die Tatsache, daß der Kanake nicht mit einem »stino«-Sproß aus gutbürgerlichen Kreisen gleichgesetzt werden darf, der four-letter words kultiviert und mit der Bierdose in der Hand vor einem Kaufhaus »anzuecken« versucht.

Die folgenden »Protokolle« sind in einem Zeitraum von anderthalb Jahren entstanden. Sie sind das Produkt »detektivischer« Nachforschungen im »Milieu«, im Kiez der Männer. Am öffentlichen Leben in den Szenen der Kanaken-Ghettos nimmt hauptsächlich der Mann teil, der Frau dagegen wird bedeutet, sie habe sich aus der männlichen Welt herauszuhalten. Sie steht unter Hausarrest, von der Außenwelt abgeschnitten und für jeden Fremden, somit auch für mich, unerreichbar. Ich tauchte ab in den »Lumpen-Hades«, suchte den Kanaken auf in seinen Distrikten und Revieren, Ghetto-Quartieren und Stammplätzen, in seinen Verschlägen und Teehäusern. Es war nicht einfach, gegen das anfängliche Mißtrauen anzukämpfen, das der Kanake »dem Studierten« gegenüber empfindet. Vertrauensbildende Maßnahmen waren vonnöten, um ihn davon zu überzeugen, daß ich ihn nicht »an die Alemannen verkaufe«. Erst nach Tagen und Wochen vorsichtigen Kennenlernens traf man sich zum ersten richtigen persönlichen Gespräch. Ich stellte die eine schlichte Frage: Wie lebt es sich hier in deiner Haut? Sie sprachen aufs Band, manchmal machte ich mir Notizen, oder behielt, wenn sich eine sofortige Niederschrift situationsbedingt verbot, das Gesagte im Gedächtnis. Zudem prägte ich mir das nonverbale Umfeld der Kanak-Sprak ein, das reiche Repertoire an Mimik und Gebärden. Ich verbrachte viel Zeit mit den Befragten, um einen stimmigen Gesamteindruck zu gewinnen.

Um in eine der Kanak-Szenen eingeführt zu

werden, benötigt man einen »Bürgen«, der den Nimbus eines »sauberen görs« besitzt, auf den man sich hatte bereits öfter verlassen können. Er begleitet den Neuling und stellt ihn seinen Brüdern als »unseresgleichen« vor, als einen, der »uns nicht wesensfremd« ist. Danach muß sich der Neue allein im Milieu behaupten. Die Brüder überzeugen sich von seiner Kodextauglichkeit, und erst wenn er sich als »reinperson« und »taffmann« erwiesen hat, kann er Fragen stellen. Ein Beispiel: In einem Cafe treffen sich junge Kanaken zum Billard, an Wochenenden sieht man hier auch Goldkettchen-Zuhälter mit ihren Nutten frühstücken. Dort erfahre ich von einem Bekannten, daß ein gewisser Dervisch, der plötzlich von der Bildfläche verschwunden ist, »heute in der klapse scheiße an die wände schmiert«. Ich bitte den Bekannten, bei Dervischs Eltern ein gutes Wort für mich einzulegen. Nach einigen Tagen empfangen sie mich in Begleitung meines Bürgen. Genauestens machen sie sich ein Bild von meiner Person, überzeugen sich, daß ich »an dervischs zeug keinen weiteren schmach flicke«. Erst nach mehrmaligem Treffen geben sie mir ihr Einverständnis für den Besuch bei Dervisch. Derselbe Bürge stellt auch den Kontakt zum Zuhälter her.

Über einen Zeitraum von zwölf Monaten gelang es mir, das Spektrum weit zu öffnen: vom Müllabfuhr-Kanaken bis zum Kümmel-Transsexuellen, vom hehlenden Klein-Ganeff, dessen Geschenke ich nur mühsam zurückweisen konnte, bis zum goldbehängten Mädchenhändler, vom posenreichen Halbstarken bis zum mittelschweren Islamisten. Sie alle eint das Gefühlt, »in der liga der verdammten zu spielen«, gegen kulturhegemoniale Ansprüche bestehen zu müssen. Noch ist das tragende Element dieser Community ein negatives Selbstbewußtsein, wie es in der scheinbaren Selbstbezichtigung seinen oberflächlichen Ausdruck findet: Kanake! Dieses verunglimpfende Hetzwort wird zum identitätsstiftenden Kennwort, zur verbindenden Klammer dieser »Lumpenethnier«. Analog zur Black-consciousness-Bewegung in den USA werden sich die einzelnen Kanak-Subidentitäten zunehmend übergreifender Zusammenhänge und Inhalte bewußt. Die Entmystifizierung ist eingeleitet, der Weg zu einem Neuen Realismus gelegt. Inmitten der Mainstreamkultur entstehen die ersten rohen Entwürfe für eine ethnizistische Struktur in Deutschland.

Lange Zeit habe ich mich nicht an dieses Thema herangetraut. Ich befürchtete, daß meine Absicht, den Kanaken ungeschminkt darzustellen, auf allseitige Entrüstung stoßen würde. Der brave Türke wird mir Nestbeschmutzung vorhalten. Der Deutsche wird mir vorwerfen, ich betriebe die Ikonisierung des kleinkriminellen Vorstadtlevantiners oder arbeitete den Fremdenhassern in die Hände. Diese Vorwürfe handle ich mir ein, weil ich mich weigere, die Realität aus doktrinärer Distanz heraus zu beschreiben statt sie vom Schreibtisch aus zu konstruieren.

Bei der deutschen Übersetzung der Kanak-Sprak muß allein die Sprache für eine Totalaufnahme aller existentiellen Bedingungen wie Gebärde, Gleichnis und Jargontreue bürgen. Bei dieser »Nachdichtung« war es mir darum zu tun, ein in sich geschlossenes, sichtbares, mithin »authentisches« Sprachbild zu schaffen. Im Gegensatz zu der »Immigrantenliteratur« kommen hier Kanaken in ihrer eigenen Zunge zu Wort. Die fertige »Übersetzung« wurde dem Befragten zur Einsicht vorgelegt oder vorgelesen und von ihm freigegeben. Jeder ist mit der Publikation einverstanden. Bis auf drei Ausnahmen wurden die Namen geändert und allzu detaillierte Angaben zur Person weggelassen. Die Bänder mußte ich auf ausdrücklichen Wunsch der Gesprächspartner in deren Beisein löschen.

Mancher Türke hat gelernt, es deutschen Kleinbürgern gleichzutun und ist zum netten Kollegen »Ali« mutiert, den man mal nach Feierabend zum Stammlokal mitnimmt. Andere haben den Sprung zur Universität geschafft und verkehren in deutschen oder internationalen akademischen Kreisen. Für wirkliche Intellektuelle war Interkulturalität immer etwas Selbstverständliches. Dergestalt Integrierte haben es unbestritten in der deutschen Gesellschaft zu etwas gebracht. Sie sind »sozial verträglich«, haben keine gesellschaftliche Sprengkraft. In diesem Buch wird man vergeblich nach ihnen suchen.

Hier hat allein der Kanake das Wort.

Kiel, im Sommer 1995   *Feridun Zaimoglu*

Pop is ne fatale Orgie

Abdurrahman, 24, Rapper

Pop is ne fatale orgie, ein ding ohne höhre weihen, und es macht aus jeder göre aus'm vorort'n verdammten zappler und aus jedem zappler ne runde null. Es schafft ne egalität, wo jeder gleich is und keinen feinschliff braucht, nur tausend träume von rittern, die olle jungfrauen wachküssen, tausend träume, billig zu haben, wie'n pfifferling, tausend träume für'n appel-und'n-ei-preis, tausend-tropfen-schnaps, daß du man den zappligen schlotter kriegst. Pop: die große hure babylon.

Bruder, den pop hab ich gefressen, so wahr wie mir nach kümmel is, nix übrig hab ich für's flachgepfiffene, ich will da nicht'n abgetragenes kleid tragen, bloß weil's null kostet. Und ich will, weil ich ne reale größe bin, nen realen anlasser, der mich auf touren bringt und'n bild von mir gibt, das rein und kraftvoll is. Ich hör's liebesgedudel auf allen frequenzen: »o, ich bin so allein, komm mich doch balde frein« oder »du gehst fort, und ich denk an mord« und so weiter. Was in gottes namen hat dieser dreck mit mir zu tun, was hab ich kanake mit diesem dreck zu

19

schaffen, ich mit den schweren jahren auf'm buckel, ich mit'm willen, den keine naht so recht zusammenhalten mag. Gut, ich seh's ein, daß's pack von schlimmem problem gegängelt, vom nixtun und von der ollen maloche so richtig in'n plexus getreten, unterhaltung sucht, die es für'n paar groschenstunden vergessen läßt, was es wieder am nächsten tag anpacken muß oder was es auf ewig in scharfen krallen hat. Nur, die sache is die, daß's pack null naturzustand hat und im kopp statt grips weites weideland, wo magere gedanken grasen. Nem schlappohr kannst du schlecht beibiegen, daß er man bitteschön die lauscher aufstellen mag, der hat doch zeitlebens nur hirnfaules hundeleben satt geübt, er bleibt 'n zotteliger hausdackel, und wenn du so ner kreatur die olle leine abnimmst, fängt die an zu winseln.

Pop is was für kostgänger der illusion. Das ist der rechte napffraß. Aus dem trog kannst du die armleuchter speisen und wieder speisen. Pop verfüttert die bräsigsten reste an jene, die nix wollen und nix können und also die mär vom leisetreter fressen, der eigentlich 'n gimpel is, 'n ausgemachter gar, aber der gimpel hat ja die ganz große herzenssache laufen, und mit der liebe wächst er zum tranigen gefühlspaket und darf seiner helga rosen schenken. Für 'n popspezi is die schose kloßbrühenklar: werktag is werktag, danach wird sich amüsiert, bis die schellen bimmeln, und denn wieder von vorn wie gehabt, sprich arm und scheißkaputt und frischrasiert und anzugsfesch und werktag is werktag. Und denn dudel in der disco. Is schon 'n oberfeines völkchen hier vor ort, was entweder auf kriminell kopf oder kriminell pop macht, und da magst du nicht unbedingt partei ergreifen, weil zu nem parteigänger ne gerechte und wasserdichte sache gehört, 'n gescheites niveau meinethalben, wo's einem gern mal kopf und kragen kosten kann. Der kopfler trägt so ne art kainsmal zwischen den blonden brauen, du erkennst ihn daran, daß sein reden mit welschen vokabeln gespickt scharf kurs nimmt auf ne ebene, wo das bildsprechen verreckt und die worte wie topfdeckel an dir vorbeikullern. Der kopfler is wie'n angespannter spättäufling, der alles, was ihn an sein frühres gesinnen gemahnt, zum teufelswerk erklärt. Er stinkt aus prinzip, bruder, das mußt du dir man vorstellen, der modert, weil er klug aussehen will, aber ich raff das bei gott dem herrn nicht, wie sich da der bogen spannt, als ich's alphabet rauf und runter beten konnte, war ich schlau und mächtig in freuden, da seh ich also den zusammenhang, schlauwerden is grund zum immensen halleluja, und alles andre irgendwie klinischer fall.

Und der popper, der popdepp eben, der is ja man so jämmerlich blöde, daß die kessel pfeifen, er sieht mtv und klaubt so viel ollen schotter zusammen, daß er auch schön 'n videostrahlemann mimen kann, abends, und weil er, wenn er den mund aufmacht, nur lallen kann, zeigt er stundenlang seine beiden zahnreihen. Ich sag dir, bruder. In diesem land läuft's zum teil stinkig, für'n alemannen is es schon 'n aufwand, wenn er dir zum gruße die flosse reicht, und wenn die dich zum frühstück einladen, sagen sie dir, du sollst bitteschön brötchen mitbringen und vielleicht auch noch kaffeesahne. Da bist du also nur zum drittel oder viertel willkommen, wenn du mit leeren händen antanzt. Und überhaupt: 'n kanake als freund rangiert ganz unten auf der multikultiliste, besser is'n jamaikanigger mit ner zottelperücke, noch besser 'n schmalzlatino, und die ganz heiße oberfesche krone is denn 'n yankee-nigger, auf den das einheimische mösen-monopol abfährt. Ich hab meinen eigenen grund-strang, der geht da mitten durch'n leib vom hirn zum herzende, in dem beben und schütteln sich meine extrasache, mein instinkt und mein ko-scherer wille, und diesem dreiergespann teilt sich alles zucken und recken mit, was so außen abgeht, aber die zonengrenze zwischen mir und dem da draußen meißel ich streng jeden verdammten tag, ich achte, daß mir die haut sauber bleibt, daß mir keiner an stil und meinung und mode und trend was anhängt, denn, bruder, mein einziges hab und gut is meine saubere moral, die hier in diesem kadaver durch und durch steckt.

Den Fremdländer kannst du nimmer aus der Fresse wischen

Akay, 29, vom Flohmarkt

Klar hab ich was anzubieten, was feines noch dazu, aber nicht, wie der dumme rest, schimmelmarok oder roten libanesen oder was auch immer die verscherbeln, wenn's um's abzocken geht, muß ja jeder sehen, wo er bleibt, illegal is nur auf die länge 'n bißchen knechtmaloche, und wenn der gendarm dir auf den fersen ist, bist du pur zombie, weil du ja krumm bist und immer schön an der wand klebst, bevor der handel in die gänge kommt, und's geschäft blüht und rankt bis zum großen bang. Die cashen dich, so sicher wie'n amen ist das, da kannst du die eier verwetten, daß du dich mit deiner scheiße ins olle aus kickst. Also, ich für meinen teil hab mir die show angekiekt und mir gesagt: zu heiß, joker, das bist du nicht, da mach man schön artig 'n bogen drum. Die männeken haben zwar gold, wo der blick auch hinfällt, und haben's nie so recht nötig, die olle zeche zu prellen, da die mit'm ganzen bündel zur hand sind, aber, siehst du, da ist alles wie inzucht, oder wenn einer kies macht mit 'n paar stuten im stall, die er denn für sich laufen hat, aber, mann, ich biet meine eigene

kraft an, die der allmächtige mich mit der mut-
termilch schlabbern ließ, und die kraft, mann,
ist ne ureigne bravour: vom meister nimmt das
greenhorn erst mal das olle handwerk, der muß
doch erst mal drauf kommen, daß meinetwegen
s'holz so ne struktur hat, also ne eigne prägung
mitgeliefert bekam, als es noch nicht mal 'n toter wurzelknoten war, da tief im erdgeschoß
ohne ne spur licht am räkeln war, und die erd-
krumen zogen an seinen winkeln und zipfeln,
und da ging ihm auf, was so drin ist an ureigen-
ster herrlichkeit, also hat dieser fliegenschiß
sich gesagt: ich nehm mein kapital und mach ne
fette investition. Hier unten ist's zum erbarmen,
wenn ich aber'n zu flotten zahn drauflege, bin
ich bald 'n knorriger ast und hab echt die arsch-
karte gezogen. Kumpel, ich seh mich auch wie
so'n oller mickriger insektenschiß, der nur tüchtig in den kopp kriegen muß, was sache ist, ich
bin ja nicht hirndämlich, und wenn mir's ge-
schehen um mich rum so richtig einleuchtet,
zieh ich los, ganz für mich, und such die kleine
nische, wo's mich nicht sonderlich friert und wo
ich ne decke nach maß hab, daß ich mich nicht
nach miesem geschäft umlugen brauch, denn
so'n mieses geschäft ist auf lange sicht echt für'n
arsch, und da kommt noch vor gottes angesicht
ne andre wahrheit zu: hinter jedem ollen busch
ne psychofalle. Hinter jeder straßenecke einer,
der haßt, weil'n olivenkern im dickdarm hakt
oder seinem herrmann die richtige länge fehlt.
Weiß der teufel, was all den weichhirnis fehlt
und nicht richtig tickt, sicher ist, daß die schon

'n eigenes volk von spinnern bilden, ich meine, die haben tüchtig an zahl zugelegt, und man kann die spinnerten typen überall lungern sehen, 'n wichtiger lebensdraht ist wohl oberschlimm durchgebrannt, und deren mundwinkel hängen wie tote hundepfoten in so nem blöden winkel, aber ich sag dir kumpel: was erwartest du von ollen krämern? Die alemannen hassen sich und jeden, der ihnen über'n weg läuft, und irgendwann kriegen welche so ne störung reingewürgt, weil sie ihre gottverdammte seele in so nem batzen schiß baden, und da kommt die rache, du kannst die uhr danach stellen. Honey, ich liefer dir den rechten zusammenhang, du willst es wissen, ich geb dir das verschissene wissen: wir sind hier allesamt nigger, wir haben unser ghetto, wir schleppen's überall hin, wir dampfen fremdländisch, unser schweiß ist nigger, unser leben ist nigger, die goldketten sind nigger, unsere zinken und unsere fressen und unser eigner stil ist so verdammt nigger, daß wir wie blöde an unsrer haut kratzen, und dabei kapieren wir, daß zum nigger nicht die olle pechhaut gehört, aber zum nigger gehört ne ganze menge anderssein und andres leben. Die haben schon unsre heimat prächtig erfunden: kanake da, kanake dort, wo du auch hingerätst, kanake blinkt dir in oberfetten lettern sogar im traum, wenn du pennst und denkst: joker, jetzt bist du in deiner eigenen sendung. Als hättest du'n krebsklumpen mitten in der visage und würdest dich verstricken in so schleifen aus luft, von jedem und allem fortgewirbelt, um in einem fort zu grübeln, was dir verdammt noch mal den boden unter'n füßen wegzieht, und ich sage, mann, das ist obergroße etikette mit deinem eigentlichen elenden hundescheißnamen drauf. Der pegel steigt bis zum großen knall, danach bist du abgebrannt und unsauber, ne kleine kriminelle type, die sich die hufe ablatscht, um denn in seinem verschissenen kuhdorf den ganz großen provinzmacker zu mimen, und das nimmt dir ja jeder ab da unten, wenn du ganz schnieke sattes fleisch zeigst. Das ist die niggernummer, kumpel, es gibt die saubere kanakentour und die schmutzige, was auch immer du anstellen magst, den fremdländer kannst du nimmer aus der fresse wischen. Und noch eins: wir sind alle anbieter, nur das land ist mager, das land drückt deinen eignen stil. Deshalb ist das land so richtig im arsch, da geb ich dir'n siegel.

Der direkte Draht zum schwarzen Mann

Ali, 23, Rapper (von »da crime posse«)

Im anfang der rap-times stand wie ein göttlicher koloß und makellos zulu nation, der mc-parties schmiß, den besten body im saal zu wählen, und dieser jener war dann der king des abends, damit begann die eigentliche ära, weil der ring freigegeben nun den dancern offenstand, und hier konnte man sich messen mit dem bruder ohne blutvergießen und ollem groll, und keiner mußte um sein heil bangen oder verrecken, wie hunde es tun an räude. Die pralle schose hatte also man an fahrt gewonnen und ging über in den partyswing, wo scharen zur großen feier zusammenkamen, dutzende und aberdutzende unter der hellen rap-kuppel. Grandmaster flash tat den ersten schritt zur politik, zum inhalt, mit »the message«, das war der segensreiche durchbruch, absolutes kultanliegen. Mit public enemy glomm die wahre kulturepoche auf, kultur deshalb, weil die information an das volk über die mundaussage ging, der direkte draht zum schwarzen mann, und wenn du dir überlegst, daß im yankeeland lesen und schreiben schon'n luxus ist für die meisten in den ghettos, wirst du wissen, was für'n wert das hatte mit der gerapten message, es ist, als würd man ne laufende bilderwelt schaffen, und dafür sorgen, daß das volk auch die ollen augen aufreißt und sichergeht, daß ihm auch kein fitzel klärung entgeht. Chuck d von public enemy brachte eben ne ordentliche runde aufklärung in die gemeinde, er sprach davon, daß die welt im argen liegt, weil wir schief gewickelt sind, weil's an uns liegt, stolzes herz und freien geist und ungetrübten blick zu haben, und daß wir sehen lernen müssen, was kern ist und was hülle. Der sound besteht aus krawall und city-hektik, zu tosendem klang und stadtgebrüll und gellendem mißlaut hackt er den knallharten text ab. Klar, bruder, daß die bewegung überschwappte über den großen teich und uns ergriff wie ne gottverdammt heiße offenbarung, so ende 83 hat's mich denn auch erwischt, wie ich noch als jungblutbengel durchs viertel kackstelzte, in so ner schmorigen unruhe gehalten, und ich nahm gleich auch den guten kodex an, der da heißt: wirf dein leben nicht weg, wenn du echt bronx sein willst, pfoten weg von dem, was dich und die gemeinde schwächt, no drugs, no crime, und stärke und respekt vor schwestern und brüdern, und schutz nur in der gemeinschaft derer, die sich clean halten aus purer überzeugung.

Natürlich denken sich viele, mann, der typ ist der reinste prediger, soll der sich man in ne mönchsklause verziehn, aber, bruder, das is'n fetter strang, an den ich mich klammere, und um mich rum seh ich lose tote enden, und an den

stricken reißt'n puppenspieler, der da heißt verderben und blut auf den straßen, und deine gang
gegen meine, und ich seh, wie'n schuß fällt und
der nächste schuß und dann is es ne stalinorgel,
die meine leute niedermäht. Da nehm ich doch
in kauf, daß mich manche für'n ollen mönch
halten.

Also 83 gings los mit der gruppe rocksys, danach the fantastic devils, ne reine und muß
schon sagen fett bekannte tanzgruppe. 88/89
haben wir dann *da crime posse* gegründet, was
soviel heißt wie »kriminelle vereinigung«, und
jetzt muß ich doch'n paar takte meinung kundtun, wieso vor gott dem herrn wir unsere gruppe
ausgerechnet so und nicht anders getauft haben.
Wir sind sowas wie kopfgeldjäger, wir jagen die
kids auf den straßen, wir angeln sie, wir zerren
sie aus dunst und nebel, und wir müssen ihnen
mit der harten sprache kommen, weil sie tag und
nacht umlagert sind von menschlichem müll,
wir müssen sie anbrüllen, daß sie diese gottver-
schissenen spritzen und das elende banditenge-
gockele sausen lassen, wir müssen ihnen klare
parolen bieten, wir müssen zuhälter und dealer
und autoknacker und kiffer und drücker und
glücksspieler und die gewaltbereiten über-
schreien. Wir müssen interesse wecken und wir
müssen um jeden preis einen rauhen und prächtigen sound bieten, der sie vom sockel haut. Das
geht nur, wenn du vorbild bist und dieses altmo-
dische wort tugend schmackhaft machst wie ne
olle hostie mit erdbeergeschmack. Wir ködern
die kids mit ner rüden etikette, und wenn die zu

uns überlaufen, geben die von selbst ihre grund-
falsche haltung auf und bleiben sauber und
scheißen auf gewalt. Und ich sage dir, bruder, da
laß ich mich sogar als hundesohn beschimpfen,
wenn ich dafür einen kümmel von der straße
wegkriege.

Ich bin im opernhaus als sänger und tänzer in
dem stück west side story aufgetreten, und mit
der gage hab ich die anlage und den ganzen
kram, den du hier siehst, gekauft, und ich er-
wähn das hier an dieser stelle nicht, um anzu-
zeigen, was für'n toller wilhelm ich bin, aber
weil die brüder wissen sollen, daß man schon ne
ordentliche strecke gehen kann, ohne daß der
gang mühsal und schräge nummern bergen
muß. Wichtig ist der gemessene schritt, als
würd'n zirkel einen seiner schenkel vor-
schicken, um'n gebührenden kreis zu stricheln,
und was innen ist, widerstrebt nicht dem halt
und will nicht aus prallgepapptem gefüge in die
kalten distrikte, wo's recht unzählige punkte
gibt, die olle zirkelspitze reinzubohren. Da
steht man also wie'n grüner pfadfinder davor
und weiß nicht, welchen punkt man anbohren
soll, und auf welchen punkt man nun bringen
soll das strebige verlangen. Verlangen nenn ich
den willen zu ner grundreinen nummer ohne
die übliche trübmasse, sowas wie ne endstation,
wo der heimstein nicht zertrümmert wird
durch unbefugte hand, und es gibt der hände
viele, die dazwischengeraten und an fremder
leute siebensachen nesteln, das sage ich dir.
Mein ureignes tun und lassen will ich geadelt

wissen, und der adel soll aus gutem stoff sein und nicht abstehn wie'n verwachsner nagel.

Ich weiß, daß ne elite sein muß aus verläßlichen, die den fatalen junk ablegen und sich ans ungeschriebene abkommen halten, weil es ja in fakt um ihre leicht zerschrammte kümmelpelle geht, um den grips, den man wie's die mode will vor die bulligen hunde wirft, die elite, bruder, is ne wasserdichte pechversiegelung in puncto oberdogma, das da zu dir spricht: tu nix unter deinem wert, tauch nicht auf und bleib man underground, weil oberwasser scharf geballert wird. Elite hat was mit dem gefaßten beschluß zu tun, in eigener sache zu üben, und der joke unter einigen wenigen ist allemal verschärfter als das laue treiben mit dem pack. Die beiden parteien standen sich doch immer gegenüber, die meisten haben mit'm mob paktiert und reibach gemacht, derweil es andere dazu trieb aus ekel und widerwillen vorm schmutzigen gemeingut, nach innen abzuwandern und'n schön korrekten distrikt zu schaffen. Das ist so, als würdest du ne bärenhöhle abseits von der city beziehen, um deine auffällige spur zu verwischen.

Der einheimische hat für'n kümmel ja zwei reservate frei: entweder bist du'n lieb-alilein, 'n recht und billiger bimbo eben, der doch wunderschön seine kopfsteuer an'n staat blecht und die pranken in'n schoß bettet, 'n blechkamerad mit'm kopp in der schlinge, und denn warten auf'n magischen akt, auf'n madonnenwunder. Da kommen denn die förderfreunde und geben dir'n klaps auf die schulter, und die sagen dir:

mann, das betrifft mich jetzt volle kante, daß du'n armes schwein bist. So'n lieb-alilein ist der wahre kanake, weil er sich dem einheimischen zwischen die ollen arschbacken in den kanal dienert, und den kakaoüberzug als ne art identität pflegt. 'n kanake is sowas wie ne rothaut, die man mit bunten glasperlen und feuerwasser bescheißt, und der grient dazu wie'n tourist auf'm schnappschußfoto. Dann gibt's noch'n zweites reservat, in dem der fremdländer den part des verwegenen desperados übernimmt, ein richtiger mannskerl eben, der wie'n blitz aus der hüfte schießt, und sonst auch'n feiner stecher is, und in diesem reservat lümmeln sich die goldkettchen-bimbos und die schneuzerkümmel und machen jagd auf blonde weibchen, weil die krücken brauchen und jede menge stützgeräte, um auf den beinen zu bleiben. In beiden fällen, bruder, wirst du als luschengaul ins tote rennen geschickt, und du mußt da auch nicht die zielgerade erreichen, wichtig ist nur, daß du deine meilen lahm abtrabst, und dann steckt man dir mürbe zuckerwürfel ins maul und krault dich herrisch an der mähne.

'n letzten ton will ich noch loswerden: so in einem halben jahr ist es raus, ob die musik ne zukunft birgt, und wenn nicht geh ich zu den bullen. Das vertret ich vor den brüdern so, daß ich für ne unbedingte teilnahme plädiere, es ist ja ne leichte sache, so aus'm sicheren abstand falsches verhältnis zu bemeckern, ich zier mich da nicht, und groß anstellen brauch ich mich ja auch nicht, weil meinetwegen würd ich, wenn ich'n drogendealer zu fassen krieg, den ganz sicher nicht laufenlassen, den würd ich mit eiserner kralle an seinem schmierigen scheitel packen, und ab ging's ins revier. Für viele ist der schmutz auf den straßen die reinste mystik, ich aber weiß, daß es schlammplacken gibt, die im ruhigen wasser wie verruchte barken dümpeln, und zwei dinge kommen da in frage als gegenwehr: die reine lehre und der harte griff! Wer lehre und griff nicht annimmt ist wehrlos, dem sickert der üble notstand ein, so daß er in ner miesen alten haut steckt, aus der gibt's kein entrinnen, kein ammenwunder hilft dich häuten, wenn du plärrst vor schmerz. Rauhe schale mit weichem herz, das muß.

Fraugeworden

Azize, 27, Transsexuelle

Was ist das schon, wie und mit welchen verdammten stummeln man dich aus'm kanal raus-
preßt, ich mein, da liegt ne aufgeblähte olle mutter in den hochwehen auf der pritsche und furzt
dich aus'm leib ins freie, und damit das richtig
amtlich wird, säbelt dir der weißkittel die leitung zum mutterquartier, wo du nicht dich
krümmen tatst, weil ja die versorgung adäquat
war, schläuche mit saft und nährsabber und
wahrem stoff, du warst da man mit allen schika-
nen angeschlossen, und hast nicht mal'n piep
quengeln brauchen. Feines leben nenn ich das,
ne noble suite ohne'n vermögen hinzublättern,
aber daran klebt auch orntlich scheiße, jedenfalls seh ich das so im nachhinein, weil sich
dinge tun, die du nicht unter kontrolle hast, anfangs 'n bespritzter dotterklumen mit'm mäntel-
chen drum herum, daß das ding auch nicht friert,
und am ende, wenn du aus'm kanal in dein olles
eigenes schicksal rausgeschissen wirst, hast du
das zusammengeraffte material aus mutters
becken und vaterns klöppel, das bleibt dir also
nicht erspart, daß sich im fick von ner tussi und

nem macker was zusammenrauft, und dann bist du auch noch entweder oder, und für den schwengel mit anhang konnt ich man gottverdammt nix, was ich denn mit mir so rumtrug, als wär ich von nem richter zu unrecht verdonnert. Mann o mann, das is so wie die hirnschissigen in der klapse, die ne stimme hörn, wo sie null bezug zu haben, und die den typen nen orntlichen ratsch verpaßt, die kriegen das höllenbrutzeln in die seele reingeklempnert, und ich sag dir, es is'n schiß so ne masche mit zwei stimmen, wo du aber man sicher weißt, da spricht ne stimme zu dir, die seihert dir die hucke voll und grient sich einen ab, ne stimme aus fleisch und blut, wo du man selbst bist und nicht selbst.

Ich wußt also nicht die bohne, was der ganze apparat da an mir sollte, schon ziemlich früh hat ich's gefühl, da is'n höllenversehn über die bühne gegangen ohne mein zutun, hat man mir erzfremdes gewebe rangepappt, das ich nicht abreißen konnte, und um das ding zu strafen, hab ich schon als kind den pint gezwackt, bis mir übel wurde, und da hatte ich also das olle pech, denn andre frauen kamen mit voller richtiger ausstattung zur welt, und ich galgenstrick hatte die prächtige niete gezogen, als hätt gottunser laune gehabt zu nem schlimmen streich, ich ging nicht mal pissen, weil ich die häßlichkeit nicht sehen wollte, die blase is mir fast immer geplatzt, und denn bin ich also aufs scheißhaus und die augen geschlossen und blind gepullert.

Ich hab gelitten, mann, die schose macht ja verdammt noch mal verzagt, vor allem weil

deine allererste sorge so was von intim ist, daß dir
kein oller beichtvater auch nur'n brösel von ab-
nehmen würd, und von dir aus braucht es auch
nicht in falsche kanäle laufen, du bist halt falsch
und kannst nicht damit rausrücken. Na ja, irgendwann wußt ich's ja, daß ich'n schwuli bin
oder so was in der art, ne abart halt, wie die leute
sagen, und weil dir alle welt einbleuen tut, daß
du'n sündges fleisch bist und daß du man schön
in deiner alten pelle stecken sollst, weil man so'n
fertigen körper schlecht ablegen kann, also ich
hab dann den schlamassel nicht mehr ausgehal-
ten und hab denn pillen geschluckt, aber mein
damaliger stecher hat mich gefunden, und's gab
ne schlimme magenreinigung, und ne wache haben sie vors bett gestellt, rund um die uhr, daß ich
nicht auf dumme gedanken komme, aber ich war
sowieso mächtig bedient und dachte, ne strafe is
ne strafe, und das auf lebenszeit, bis dir der olle
atem ausgeht. Ich dachte: wenn's eh pleite is, daß
ich nun mal auf so olle beutel wirklich verzich-
ten kann, dann will ich meinen ganz eigenen stil
leben, und das heißt bei mir eben wie ne frau. Der
gütige gott hat sich bei mir verheddert, na denn
spiel ich ne runde schöpfer, also hab ich angefan-
gen s'geld für die umwandlung zu sparen, ich sag
dir süßer, s'war schon 'n heidenspaß, daß ich's
in kopp bekam, was ich wollte und was nicht,
nix mehr zweifel und nix mehr von wegen bloß
man versteckspielen und nix anmerken lassen,
s'greuel hatte endlich'n ende. Klar, ich hab auch
alten pissern einen geblasen, und wenn die man
noch'n schein hingelegt haben, hab ich den seiber

36

geschluckt, klar, ich hab mich auch von gelackten lederschwulis in den anus pimpern lassen, und ich hab immer nur beide augen zugedrückt, so wie ich's als kind draufhatte, doch diesmal tat ich's für mein gutes späteres leben als ne richtige frau, ganze kübel voll stinkigem altmackersperma hätt ich schlucken können, weil ich's endlich draufhatte, und ich hab jeden pfennig aufgehoben und auf glitzerzwirn verzichtet, womit ich mich sonst gern sehen laß, und jahrelang hab ich gar auf's make-up gepfiffen, also opfer hab ich nur gebracht. Und schließlich war es soweit und der fight gegen die ollen mühlenflügel hatte ein ende, schnipp und weg war das scheißzeug, und das war jetzt das zweite mal, daß ich im krankenhaus lag, damals knapp vorm tod, diesmal knapp vorm echten schönen leben. Ich kann dir sagen, mein lieber, wie ich so lag im blütenweißen bettzeug, war's so als hätt ich die zweite, die wahre unschuld verpaßt bekommen, und mein geschlecht war eben und ohne makel, und wie ich die rinne befühle, mein gott, diese schöne frauenritze, die mir gehörte, die ein teil von mir war und die man mir nicht wegreißen konnte wie die olle leiste, die ich hatte ewigkeiten besitzen müssen, ein schwanz ohne verlangen und ohne lust, nur'n schrumpeliges verderben, wie ich also endlich meinen willen bekam, fühlte ich mich schon so was von beschützt und in guter obhut, ich hatte endlich die rechte gestalt und gottunser hatte mir ne gefällige seele eingehaucht, verdammt, du denkst jetzt, das is hier'n billiger tuntenklamauk, nur ne verwandlung mit ner ganz fett neuen episode is wie noch mal auf die welt kommen, is ne feierlichkeit, und alles läuft nach deinem gusto. Ich bin jetzt 'n segensreiches weib, süßer, und was mir nun auch zustoßen mag, es trifft mich als frau.

Bist du'n Lamm, fressen sie dich

Bayram, 18, Breaker

Wir sind wüchsige aus gaarden, hier, wo man das olle gras halm für halm wachsen hört, wo nix außer gebell steckt, hier in jeder toten gasse, hierhin hat man uns wie 'n faden popel geschnickt, und ruhe fanden wir nicht von anfängen an, weil du kriegst futter und jeden tag futter für's ausbrechen, und doch wo's auge reicht ne einzige lausige episode von leuten, die fett man in der schlinge sind, du hebst man den brühheißen deckel und siehst man in dem pechkessel lauter wirre köppe in der faden suppe schwimmen, und einer von diesen abgehackten willst du, gott sei davor, nicht sein. Gaarden is knochenbrecher, 'n sperrbezirk, das is hier das olle ostufer und dort der reiche westen, und dazwischen reckt sich wie'n langer arm die gablenzbrücke, doch du denkst, die vermaledeite brücke is tag wie nacht und ewig hochgeklappt, so is es in gaarden, wo ja prall unzählige kümmel hausen, und das kommt, weil sie ja arbeit haben bei der HDW, siehst sie ja erbärmlich früh in scharen zur arbeit latschen, und der olle kopp ganz schön zwischen die schultern geklemmt. Das sind unsre väter, mächtig im arsch, und doch schuften die, damit wir's ne runde sonniger haben wie sie, die kriegen diese ollen schwielen an den pranken, damit unsereinem später man der wind nicht so rauh um die lauscher pfeift, und das hat schon ne würde, 'n eigenes gewicht, bruder.

Anfangs standen wir hier orntlich belämmert rum, und was hatten wir denn wirklich verloren, in ner klemme, die weniger platz ließ als zwischen zunge und gaumen, wir verbissen uns in so ner art tragik, wo man abbröckelt und feste wurzeln fehlen, sich in oberscheiße verhakt, und wo du's nicht abschütteln kannst als grüner ankömmling, wo du's nicht schaffst, dem unfug hier den rücken zu kehren mit sack und pack und siebensachen. Aber da unten war ja heimat auch verloren, da gehörte man nicht mehr hin, und hier in gaarden traf einen fast der schlag von stillstehn und mit den füßen scharren und ewig auf'n retter warten, der deinem haarigen arsch aus'm brei hilft, was soll's, es war ne einzige fette pleite, und die hat man jede gottverdammte stunde schlucken müssen. Ich sag dir bruder, gaarden is knochenbrecher gewesen von anfängen an. So'n oller wurm, nagt dir am gebein, und irgendwann willst du pein und scheiß tilgen und machst'n bißchen mobil, aber bei mir war's so wie bei vielen jungs, daß ich zu fahlfalschen freunden stieß, die mit ner voll verkehrten rechnung im kopp dahinsiechen, die üben miese rache, sie wollen's heimzahlen und bauen ne gottlose stärke auf, die aber immer die eigenen leute trifft, ich meine, ich scheiß doch auf'n kümmeldealer, der unzen vertickt gegen cash money, so'n dealer macht aus unsren jungs gestapelte scheiße, daher is es oberste regel, daß man dies gesocks aus'm viertel kickt, denen nen ordentlichen rauhputz verpaßt, was wir ja geschafft haben vereint, und einem, der den oberfeinen wilhelm markierte und jede warnung in den wind schoß, jenen haben wir uns echt orntlich zur brust genommen, der olle hundesohn der. Ich bin'n breaker und hab meine gute posse, die alle peace wollen und peace stiften, weil peace is schon das, was man aus sich machen sollte, hüter über deinen bruder und die posse und über die kleinen, die schon ne wehr brauchen vor den verdammten verderbern im dunkeln. Rap is 'n harter kodex, auf schlaffem posten bist du im nu 'n toter posten, und erbarmen kennt die zecke nicht mit dem wirt, also muß jeder gut gepanzert die wacht halten, denn die knallherben schüsse vor'n bug verpassen dir ausgerechnet die fett ausgelaugten, weil die haben heimlich 'n auge auf die erste sprosse der ollen leiter geworfen. Der rap sagt: sieh dich vor vorm untersten wie obersten chargen, vor dem, der garantiert im falschen pelz rumläuft, um dich auf lamm zu polen. Bist du'n lamm, fressen sie dich, bist du'n kleiner fisch, fressen sie dich, bist du ohne kodex, fressen sie dich, und weil die beschissensten tarife gängig sind, weil's heißt: friß oder stirb, weil die allerwenigsten klaren kopf behalten, mußt du sagen: hier bei uns, bei den breakern und rappern, bei den brüdern und schwestern, ist schluß mit dem stuß, wir schwimmen nicht mit dem

strom, wir machen nen eigenen strikten strom,
wo jeder'n fluß is und aufhört 'n gottverschisse-
nes rinnsal zu sein.

Das Land hier ist von Ficks verseucht

Büjük Ibo, 18, Packer

Wenn du ne muschi leckst, biste in gnade mann, die zunge is vergoldet, die lippen sind stramm und wenn du ne bitte in'n himmel winselst mit'm mund, der schon mal an ne muschi ran-konnte, wird's erhört, als hätt'n hochheiliger die seele geweiht. 'n heiliger lebt inner grotte, wo nich mal getier und wildes viech sich reintrauen tut, und kniet auf und ab und frißt beeren, weil er die seele geweiht hat, was ich respekt hab vor, muß ich schon sagen, doch die schose läuft bei mir'n stück anders, ich leb halt mit'm kanonen-ding zwischen den beinen, und das ding will sein recht, also klemm ich ihn nich ein wie ne schwuchtel, obwohl die ihn ja in'n mannarsch reinbiegen, ich jedenfalls lieb schnallen, und da soll mir mal jemand kommen und sagen: hey, wie wärs mal mit'm mannarsch, der so'n kack sagt, den zapf ich an und laß liegen in ner spru-deligen lache, ich hab's nich tuntig, mann, und die umgepolten kommen mir nich'n zoll ran, das sag ich dir, biste'n schwuler, mann? Sag man bi-ste so ne type, dann zuckel man hier schwer ab, bevor ich dir den schneuzer seng, also nich, dann

43

lausch man schön! Mit mir is was los, und schöner geht's nich, als ne muschi zu fressen, bis die muschi dampft, und mehr is nich im ollen leben als zaster und gute laune und ne pussi.

Jeder hat sein eigen fassong, wenn du willst, und seinen fassong muß man gut stück an die glocke hängen, damit der rest weiß, wo sein spaß aufhört, und das, bruder, is mein handwerk. Die hunde haben dich in der mangel, die sind ohne erbarmen, die sind losgelassen, und kein schwein hält sie auf, weil die'n rudel sind und du'n einziger wurm, wenn dich die meute hetzt, mann, hast du keine stimmung, du bist'n pestloch, die viecher schnappen was's tempo hergibt, also denkst du: schmeiß ich mich weg oder mach, daß ich'n sichren platz krieg, und später kann ich die vielleicht wegballern. Erste sorge: identität, ne person sein. Nich held, den helden schnappt der große schnitter, bruder, und ich, wie ich vor dir steh, hab nu den bogen raus, wie's mit mir steht: ich bin ne person und leck pussis, weil's mir so nich hochkommt, ich herrsch auf meine weise und ich blick durch. Das land hier ist von ficks verseucht, unsere leute gehn bald auf die straße, wo's nix zu holen gibt außer n'arsch voll, erst krallst du den erstbesten und dann krallt dich der erstbeste, unsre ollen väter zocken in den kneipen, oder tragen'n bart und gehn in die moschee, unsre mütter werden fett und basteln an'm essen, und wo sind wir, wenn du schon fragst, die meisten haben den finger um'n abzug und treiben schnee in'n riechkolben und sind dann rambos und quirlen nur scheiße und scheiße und wieder scheiße, bis'n bulle sie aufliest, und du hast deinen verfickten namen im register, was nich berühmt is, das sag ich dir, lauter alis, die den gangster machen und'n olles revier haben, als hätt nich ne maus 'n mauseloch, das man stopfen kann mit'm richtigen kaliber.

Scheiß drauf! Erste sorge: wo bin ich und wie bring ich meine haut in'n sichren hafen? Mußt dich fragen, ob's dir oder andren paßt oder nich, hier geht's um deine ganze verdammte haut, vor der du'n riegel basteln mußt, damit andre nich drauflosgrabschen. Um dich herrscht'n donnerwetter, okay, ne menge jungs beißen vor ihrer zeit ins gras, okay, von'n alten kriegst du rat mit viel luft drin, davon wirst du nicht satt, alles klar. Den deutschen traust du nich übern weg, weil sie, die haben durchblick in ne andre richtung, und da willst du ums verrecken nich hin. Gut mann, sehr gut, jetzt denkst du, ne lösung für die erste sorge, machst viel mist, klar, aber tief im schlamm biste auch nich, was schon mal ne menge erspart: du hast also was gut, bist'n kühner bursch im sturm und im guten stil achtest du auf die wärter, die doch überall sind, und der raum wächst so geballt, daß du nach ner zeit vertrauen kriegst in den festen roten strich zwischen dir und den knüppelmännekens, und du merkst dir, daß es um den strich geht, mann, mal mit kreide, mal mit waffen, mal das letzte haus im ghetto, und jenseits sind andre kids, die nur drauf warten, daß du dich versiehst. Aber schlau sein, mann, immer augen auf. Mir is schulz was anderer leute tendenz is, mir is pussy tendenz. Nich, daß ich's letzte hemd dafür hergeben tu, aber so, wie es steht, hat doch jeder'n kragen um'n hals und spärliches zeug, das ihn bedeckt, damit er nach was aussieht, ne kleidung halt nach jedermanns nase fassong, womit ich sagen will: 'n wolf hat'n pelz, und is der pelz futsch, is er'n armes elendes schwein und bleibt schwer auf der strecke. Seine tendenz sagt ihm: bruder, laß nich zu, daß ne fremde hand dich krault. Du gehörst in den busch, und die hand, ja die soll man schön abzwitschern. Gut, ich bin kein haßtier, acker mich auch nich platt wie'n oller raffer, nur schotter, so viel, daß ich zu conni gehn kann und ich sag: mädel, wir beide gehen jetzt man hotten, weil crazy isses schon, in die disse zu zockeln, wo's prall dröhnt, mann. Da siehst du innem schwall von dampf 'n chor von hoch-heiligen zucken, als hätt die'n tollwütiger biber gebissen, doch hohl sindse im kopf, männekens wie weiber, traun würd ich denen nich übern weg. Die tendenz sagt mir, feier den abend mit ner tussi, und ich mach nix, was meiner laune verkehrt wär, die frißt mir eh aus der hand, das kann ich dir man sagen, die conni mein ich, die will später 'n kind und daß wir so mit allen schi-kanen heiraten, was aber noch zeit hat, deren el-tern stellen sich stark quer und setzen ihr'n teu-fel in'n kopf, von wegen 'n kanake macht nich gut familie, und ich taug nix und so, aber die sol-len man labern, bis sie schwarz werden, das kratzt mich kein stück. Ich sag dir frank und frei: viel wird sich nich in mir gesammelt haben, wenn ich mal abtret, ich mein halt, abkratze, ich hab den kopf fürs praktische und ich schau mich um, wo ich für'n bißchen unterhalt schufte und nich mehr, und das meiste geht mich so nix an, weil wenn du drin bist inner sache, hält sie dich fest und reißt dir alles ab. Du kannst nich frei verduften und inner andren gegend mal schaun, was läuft. Du mußt hölle dich vorsehn und wenig interesse haben, ja und amen sabbeln, damit du nich bald ins jammern kommst, denn winseln tun die tunten, und es is'n greuel, wenn du in der falle jammerst, is doch eh nur'n gott da, der dir deinen arsch retten könnte, aber der hat wohl andre sorgen als nem kanaken die pelle zu schonen. Das is mein reden, ich wär heut müll, hätt ich nich was gegeben aufs schlaue oder mich eingemischt, weil die kerls, mann, die packen dich und werfen dich innen graben und buddeln dich zu. Ich sag: 'n toter männeken hat nix kapiert. Er hat nich'n stück schimmer gehabt, wann man sich tief ins gras ducken muß, weil sie dir nix schenken und daß man heil aus'm schlamassel kommen mag is wohl klar. Bruder, ich klopf hier kein spruch, aber da draußen tobt ne fehde, die alten sind ohne saft, das is jetzt ne zeit nach den alten, 's geld geht von jemand zu jemand, landet in ner tasche, wo's aufbewahrt wird, wo's warmhalten soll, du kannst nich hinlatschen und sagen: freund ich hätt auch gern was zum wärmen, ich hab's bitternötig. Bumm bumm! Es sind die zeiten, bruder, keiner tritt aus'm glied und macht'n höker zur sau, nee, der blinzelt einmal und is schon kalt, und die andern, die noch im glied stehn, merken's: 'n unbedachtes wort genügt. Also schieben die weiter die karre und halten's maul. Mein reden is, daß ich nich am falschen platz muck, mich in gerangel misch oder so. Ich will ne pussy, ich will gut kohle und was ich denk, bleibt schön im kopp, da wo's hingehört. Und merk dir das als bruderrat: 'n toter hat nix kapiert, rein gar nix.

Es gilt das Reinheitsgebot

Cem, 25, Zuhälter

Morgens also, noch im frühen, seh ich mich ins laken verwickelt, das weiße zeugs, als hätt ich's auswringen wollen, liegt da orntlich verkrümmt wie'n bloßer darm, und ich mach, daß ich ins tauen komm und's aufrichten und überhaupt. In morgengänge kommen is ne blöde beschwernis, die so nich sein muß, die ganzen toten im acker lassen's ja auch sein und mischen sich nich mehr unters volk, weil's nich mehr bringt als plage, und tagelang nur sich vertun und meinen, daß man was prächtiges im schilde führt, was aber in sand gesetzt is. Ich begeh den tag im anfang wie ne show, wie ne zeremonie, weil ich denk, daß alles andre zeit hat, und wenn die menschen einen ja wohl nich begehren, können die ja wenigstens auf einen warten, das sind sie einem wirklich schuldig, und mir die profession is nachtgewerbe, da muß ich wie ne streife auf achse sein, der blick frei von blinden flecken, ihn muß ich da im dämmer kreisen und da und dort hinfallen lassen, denn mir die profession hat was mit obacht und gutem prägen zu tun, und denn erst kommt die bedingung, daß zeit mit sekunden und minuten monete is, aber eben erst mal wie'n luchs lugen, und, was vom gewohnten abweicht, wartet auf ne reaktion von mir, und wenn ich's nich bringe, bin ich 'n luscher. Den frühmorgen ehr ich also, ich fahr mir ins lockere haar und denk und reib mir stirn und brauen, und denn steh ich vorm schrank ganz bedächtig, und mach mir die klamottenwahl zur reinen lust, da geht schon zeit drauf, zu grübeln, welche schlinge jetzt sein muß und ob's muster hinhaut, weil man ja nich wie'n geck oder scharlatan ne saublöde kleiderordnung hat, nee, im leben eines mannes muß da'n punkt zur kunst ausarten, und der mann muß die kunst begreifen und sich voll hingeben, sonst droht das üble joch und der hirnriß mit allen folgen, 'n stück idylle kann nie schaden, das hab ich begriffen. Ich also inne klamotten, daß's ne art hat und schön anzusehen is, und dann flott mit tollem schritt aus der bleibe ins hundeleben. Ich hab da ne kaschemme 'n paar meter die straße hoch, da geb ich mich nem zünftigen frühstück hin, die marmelade muß waldfrucht sein mit kernen, die im mund knacken, und denn stell ich mir vor, daß ich läuse knack mit den zähnen, und was vielleicht andren 'n appetit vergrault, is mir schon oller spaß, und ich verdrück an ort und stelle meinen gebackenen teig und kipp frischgepreßten und braunen muntermacher hinterher, und die zeitung kauf ich nur, weil ich's blattrascheln orntlich schätz, bücher hab ich nich im regal stehn bei mir in der bleibe, aber eben's aufschlagen und's blättern von dünnem papier, das gibt mir's gefühl ein, daß ich'n gescheiter bin oder'n prof, der über seinem kram brütet und ab und zu aus der wäsche glotzt irgendwohin, weil ihm 's rechte wort zum schreiben fehlt, nun, das is halt auch bei mir ne idylle, die ich mir da eingerichtet, weiterbringen tut's ja einen ganz und gar nich, es is so ne art luxus, weil denn der magen voll is, weil's rascheln behagt und weil die mich da im schäbigen lokal kennen und ich am wochenende die olle gesamte rechnung löhnen tu plus zwanzig mark dreingabe für meine ganz private wonne. Um punkt zwölf kommen meine mädels, fünf feste stuten hab ich im sauberen stall, die sind denn null schläfrig oder haben noch 'n schlafkrümel im auge, die sehn tiptop aus und fesch aufgemotzt, da is ne regel, die ich denen beibiegen mußte, daß sie in ihrer bude privat wie ne vettel rumlatschen können, aber's geschäft verlangt ne anziehung, und die kunden zahlen ja auch dafür, daß sie was zu sehen kriegen und daß denen ihr trieb orntlich in wallung kommt, also is für meine mädels pflicht, daß sie denken: um punkt zwölf fängt die schicht an, und ich muß aussehen wie'n glatter kinderarsch. Ich gönn ihnen ne gute erfrischung, und die erzähln mir, ob sie irgend'n weh haben und ob's im unterleib mit rechten dingen zugeht, ich bin sowas wie ne adoptivmutti, bei der sie sich ihr herz ausschütten können, und wichtig sein für ne weile, denn diese macke haben wir doch alle, wir sterblichen, egal, ob großer boß oder ziegentreiber, du willst ums verrecken öffentlich sein, gesicht schieben, und du willst, daß man dich erkennt, du willst also'n star sein wie die da in hollywood, wieso, glaubst du, gehn die alemannen scharenweise zum seelenklempner, doch nich nur, weil die alle an muschis schnüffeln oder erst dann einen hochkriegen, wenn ne domina ihnen die eier annagelt oder was auch immer. Die meisten sind stinos, stinknormale arschkrücken, und das is der haken, freund, die möchten irgendwann mal auch ne schräge nummer bringen, zur flinte greifen und die hausdecke in trümmer ballern, die wollen, daß ihre olle fassung badengeht, und irgend ne macht auf gottes erden sie rausbrüllt aus'm häuslichen frieden. Ne bekannte type geht zum medizinmann, der genießt das, er legt sich da hin, und kann gegen bar drauflossabbeln, da is er nich mehr 'n streuner unter vielen, und wenn der doc denn ihm mit brief und siegel nen klinischen schmutz bescheinigt, fühlt diese type sich nicht mehr verlassen, die type kriegt ja 'n religiöses gefühl bei, und für dieses sentiment geht der idiot hart schuften und verkneift sich andre lebenslust, was unsereiner ja so nich nötig hat, dieses mürbekoppverhalten mein ich, aber wie gesagt, das is gottverdammich der olle punkt, wo man's innere der einheimischen aufhängen kann, und bei meinen tussen isses nich anders, die lassen sich stückweg auch ficken wegen starsein und der hollywoodgefühle, ich denk, daß ne nutte das auskostet, dieses irgendwann-bin-ich-hier-weg-und-hab-ne-orntliche-rente-gefühl plus macht über nen männeken, der grade in die nutte reintrümmert, und den die nutte bei der besten nächstenliebe ja nich lieben tut, wär ja auch schlecht für die finanzen. Jedenfalls hör ich mir ihr reden an, tag für tag, und ich muß sehn, daß ich ihre qual lösen kann, meist is'n kleid fällig, oder 'n mädel verlangt ne extraportion, weil es diesen monat mehr ausgaben hat, und wenn ich einseh, daß man das so hinbiegen muß, tu ich dem mädel den gefallen. Was 's geschäft angeht, bin ich hart und korrekt, ich mach die regie, und ich bin der planer, ich geb den mädels s'nötige revier, und seh zu, daß sie man ungestört tun und lassen können, was ihr job is und verlangt, und daß sie wissen, ich laß sie nich im stich, gibt den mädels die nötige zuversicht für den beruf. Klar, daß ich wie ne zuchtrute peinige, wenn da mal ne tusse falschspielt für meinen begriff, da hat mal eine ohne überzieher sich ficken lassen, bloß, weil'n beschissener arsch noch'n hunni draufgelegt hat, mann, wer macht denn so'n frevel, wo's geschäft doch aus ner guten nummer in sicheren händen besteht, ich hab halt bei der ne klare grenze abgesteckt, und jetzt weiß jede von der truppe, daß ich ne position hab mit strikter anweisung, und seitdem is ruh im stall. Ansonsten muß jedes mädel wissen, wie weit es sich aus'm fenster raushängen möchte, die freierliga is bunt gemischt, da sind aus aller herren sexbezirke kerls darunter, es wird immer schräger im kiez. Vor'n paar jahren wollte man zwanzig stöße in ne profipussy, heute will der eine nuttenscheiße fressen, und der andere schlitzt sich mit ner rasierklinge die hodennaht auf, und will, daß 's mädel die schweinerei wegschlürft. Oder 'n freier will seine faust durch's nuttenspundloch trümmern, oder er legt'n tausender hin und sagt, das mädel soll'n weißen baumwollslip marke c & a 'n ganzen monat beim schlafen tragen, und's würde kein stück ausmachen, wenn da pißflecken oder kackschlieren sind, im gegenteil. Ich sag den mädels: schaut, daß ihr verdient, aber ich will nich, daß die macker euch was antun oder 'n bazillus anhängen, es gilt das reinheitsgebot. Ich sag den mädels: ich bin der wächter, und ich werd mit dem strammsten sadoknilch fertig, ich bin für euch so was wie ne kuschelecke, und ne rumpelkammer für euren seelenplunder bin ich auch.

Darfst jetzt nich denken, mann, der läßt da nutten für sich anschaffen gehen, und der nimmt so große worte innen mund, statt zu sagen, daß er'n zuhälter is und damit basta, nee, bruder, ich kenn meinen ureignen stand ganz genau, und meine idylle liegt woanders, der punkt is nich ne blöde scham über die maloche, die ich hier im kiez abzieh, ich halt viel von ner nüchternen überlegung und ner robusten bewertung, also tu ich meinen job als firma nennen, wo's auch'n chef gibt und'n paar angestellte, und jeder geht seinen pflichten nach, damit's reibungslos und ohne verschleiß klappt. Das is auch'n rutschiges parkett, auf dem man geld verdienen tut, und wenn du dich hinlegst, sammelt sich die brut um dich und tritt dufte nach, auf daß da ne stelle frei wird. Die erste devise heißt: der hahn kräht nur nach dem starken.

Wahrscheinlich traf mich der böse Blick

Dervisch, 33, Patient einer psychiatrischen Klinik

Erst seh ich den schimmer wachsen, das ding hat so ne farbe, und die farbe hat viele maden, die die köpfe zusammenstecken, die haben es bitter eilig, so ne dreckige eile is da drin, daß du schon atemlos wirst. Das bringt dich um, diese vielen beschissenen köpfe mit den vielen beschissenen farben, und die blinken, und irgendwas fährt da in den wimmelwammel rein und zerstört das nest. Die farbe hatte doch so ne pracht, mein gott, wie kann da so'n dreck reintrümmern und mehl machen. Mir schmeckt mehl, die maden kriechen aber weiter, weil sie obergescheit sind und'n bißchen oberdämlich, das hält man im kopf nicht aus. Im kopf ist die dolle pracht, sie hat da ne dolle erzobergute stube mit'm bolleren, da kann sie sich die erzfüße wärmen, denn winter is winter, herbst wird nie, erzobernimmer, winter, wie schön dringt die kälte in den erzoberguten staub. Ich habe es euch gesagt, die warnung stand sosososo lang im raum, und ich war es nicht, der die decke glattstreicht, das tut immer, wenn ich nickerchen halte die fotze da diefotzedadiefotzedadiefotzeda. Ja, im schlaf

schlaf ich unter so ner ganz ganz glatten, rut-
schigen haut, die mag mich, die mag ich, die mag
mich unter der glitschigen vollerfadendecke, faden rutschen doch so elegant und kommen wieder zurück, wenn's nich ein kleines stück lang
wird wie ne ritze im staub, und aus dem maden-
guckloch glitschtglatscht sie, sollmichdoch sollmichdoch, ruhe! Beiß rein, festedollefeste, zähne
rein, daß die erzoberhallodecke muschelig is,
merkst du, merkst du, das trifft einen in den
sack, da rollen sich artig alle alle alle fädchen
mit'm ruck zusammen und sind still. Nachtruhe! Nachtruhe! Mein ganz doller lieber,
kommst nicht weit, wenn du hier rumschwirrst,
du mieser, du bist doch ne made, ein vielmade,
was hast du denn am gesicht, he? Ich glaub hip-
hip an den gott, o göttchen, o göttchen, wie prall-
erzobergut is die decke, und der schimmer erst
schlüpft darunter, es hat'n mund und leckt und
leckt. Was kann ich für dich tun, he? Was denn
du mieser, du bist'n verbrecher, ein böser plus-
verbrecher mit kleinklein ahnung, du willst
ganzganzbestimmt mir am arsch fummeln, he,
auch die bösefrau, die weißefrau, die macht das
licht aus, und die will mir, ehrlich wahr, am
arsch fummeln, die wollen doch alle dafür sorgen, daß ich einer werde, der sich gern am arsch
fummeln läßt. Ich bin'n macker, der erzober-
macker, laß doch so was nicht zu, die haben ihre
gottapparate mit großen strohhalmen, die sie
mir ständig ins fett treiben, und das pillepallefett
liegt schön artig im netz mit dem fleisch, und
eine nette sehne geht da durch wie autobahn von

nord zu süd, ist so breit, daß kleinkleinste kriechen können, ohne sich zu verirren, weil da is
ja auch viel viel blut mit kriechtieren. Der pa-
triarch hat blendende augen, weil er in einen
großen erzhaufen aus nassen kleidern gehüpft
ist, nur sein erdgroßer kopf schaut heraus und
dreht sich wie ein apfel, apfel apfel apfel, er ist
ein großer krieger und wirft indianerspeere in die
ferne, um die schuldigen zu prüfen. So viele pa-
triarchen, miese schöne blechmänner. Findest
du so etwas etwa bei dir zu hause? Bestimmt
nicht, du frißt doch dauernd maden, die dir in der
kehle steckenbleiben, tausend hohlköpfige maden, die sich ringeln, und du kannst dann nie und
nimmer sprechen. Du bist stumm. Ich schreie so
oft nicht, aber wenn die gefahr kommt, eß ich die
schluckwürmer einfach auf, da ist so viel platz
im magen. Wer gibt dir denn den magen, sag, der
erzoberfummelige gottogott gibt dir das, und du
stopfst wie ein schwein unkoscheren dreck da
rein, was ER nicht will. ER will es nicht, hörst
du. Du mieser!

Der raum hier ist vorzüglich, ich gehe ungern
aus, früher tat ich es oft, in schönfummeln durch
die straßen wandeln. Viele augen blieben an mir
haften, und wahrscheinlich traf mich der böse
blick. Es traf mich der blick des feisten krämers,
er hat seinen laden an der ecke, und ich hatte an
dem tag mein klimperklumperochsenauge nicht
bei mir, also hat er mich bummbumm erwischt,
und ich fiel wirklich erledigt um und ver-
schwand geschwind in der versenkung: ein heilig mann taucht ab in den schnickschnack-

schleim, wo es vielvielviel gottgefallen gibt und feuer, das nicht weh tut. Du zuckst vor schmerz, wenn du deine hand in die flamme hältst und die haut stinkt schlimm. Ein heilig mann ist dolle versengt und er findet sich unter einer dicken kruste aus farbemaden, wo er viel schlaf braucht und wo es ihm gottgut geht und wo das licht die glieder bricht. Ich habe glieder aus tonmehl.

'n Schwarzseher bin ich nich immer

Dschemaleddin, 20, Gelegenheitsstricher

Kräh, wie'n finsterer teig steht sie da in der kalten buche, wie die inner gerupften landschaft platz nimmt und reckt's blattlose geäst, und nach winters einfall ne schlichte beinharte nummer is mit nem eignen kram, da im nebel aus nix-zum-greifen-stoff, und kräh und buche stehn da im putz aus dunst. Der nebel ins land stahlhart einbricht und raum gewinnt und unschuldsweiß und auch noch blendung is, der nebel hat leichtes spiel mit seinen facetten. Also, kommst du mit, bruder, folgendes bild: schwer war mir der mut gesunken, und ich dachte, ne runde drehn durchs grün wird wohl helfen oder besser ertragen helfen, ich seh man also mitten im grübelgang 'n kräh auf knolligem holz der buche so seltsam ruhe schieben, und'n spitzer polierter schnabel, is nich krummzukriegen, is nich stumpfzumachen, mann gottes: is ne höllenfeine art, 'n maul zu haben. Wenn 'n kräh mit ner stockfinstren schnabellänge aus'm plotz kraaht, heißt's: hier inner buche und im nebel bin ich'n ehrenmann, und aller arten vogelvolk mag mich hören im fernen, mir steckt'n unwille

59

in der kehle, den ich man hier loswerde, ich send euch'n morsezeichen, der kahle bittre nimmer-will-ich-weichen-puder is'n weißes übel, is'n dieb in meinem revier, ich will von mir dem hochsitz 'n kraah, und noch'n kraah euch in die nester senden, und für ne weile könnt ihr man s'wildjagen und's bloße auf'm-ast-hocken lassen. Ich kraah euch, daß nebel 'n raubtier is, und unser aller gebieter, weil er man mit null maßnahme übern sterblichen kommt. Und ich kraah euch, daß ihm sein richten über uns 'n teurer spaß is, und was ich euch kunde tu, das steht nich mal für'n einfältgen rater im klugen duden: mensch is ein für alle mal und zeiten 'n unklares geschlecht!

Furcht war uns nie genommen, bruder, steckt in blut und gliedern, und wenn's am gebälk knackt, pappt uns man der olle schiß ne leichenmiene in die fresse, und den einen oder andren irrwisch holt schon der deibel, da kann er noch so katholisch kommen. Den langen joe hat der gendarm im kohleschuppen gefunden, mausetot und mit ner erbärmlichen visage, da lag doch man der kerl ohne schuhwerk und strumpf, und an ner sohle klebt, scheiß noch eins, mistiger unrat und staub, fettschwarzer. Oder tibur, der olle schwanker vorm herrn, fing mit'm kippen köhm früh am tag an, und vom vielen schwallkotzen hatte die type zähne wie geätzte stummeln, und mauldampf sieben meilen gegen den wind. Bruder, der suff hat ihn gemordet, wir nannten ihn den chinesen, s'gesicht ne vergilbte tapete, hochrote knoten und geschrammtes fleisch, als hätt ne göre mit rotstift schwer man gekratzt. Na ja, s'ging denn zur bestattung, und als der elende pfaffe s'wort ergreifen tat, sprach der man vom seligen, der aus der bahn gepfeffert zur pulle griff, besser auszuhalten s'nuttige leben, mann, da war aber man viel salbe in des pfaffen gerede, und s'betroffene volk saß brav in der ersten reihe und nickte wie an ner einzigen schnur gezogen mit'm ollen kopp, und denn ging die post stracks in'n ofen, wo der tote tibur in ne echt heiße gegend kam und höllisch brutzeln tat, der arme hund. 'n schwarzseher bin ich nich immer, aber daß man die passablen am ende mit'm scheißdefekt aus'm rennen schleudert, wo sie doch man eh s'große darben und winseln geschoben, und noch so lauter pleiten, mann, diese mistige schose macht mich hand aufs herz sauer, und ich wünsch mir denn'n hohen brecher herbei, der gegen's festland volle kraft im wasser wie'n bolzenhammer trümmert, ich wünsch befall und schwarze pest herbei, und den regenten will ich man blut kotzen sehn, s'olle haus soll sich im krachigen sturz dem fall ergeben, und's rohe aas gepiesackt werden von scharfen schnäbeln, wie's da man in vorzeiten doch in sodom war, das soll verdammte scheiße über die horden kommen. Dem reichen sack soll der himmel hängen voller toter ratten, da begehrt ja noch'n wichser im puff ne ehrensache, wenn du's vergleichen tust mit der reichen verbrechen, aber mal ganz sachte, bruder, s'hin- und hergeschiebe soll's nicht zu bunt treiben im kopp, die allerwahrhaftigste sorge im mensch is, daß's geld, die nötige münze für'n kurzen abstecher, fehlt, da kannste ja meschugge werden vom vielen fummeln in der börse. Herrliche gemeinde jene, die in die tasche greifen und finden für's täglich brot, 'n kumpel sagt, ich bin so'n mohikaner, der'n tresor plündert und ans arme pack verteilt, da wär ich mir nicht so sicher, erst mal bin ich'n abzocker, aber wenn dir denn die methode absäuft, und da is auch kein entdecker, der dir man aus'm wunderhorn was ausschütten tät, wenn dir man echt so die sicheren ideen absaufen, stehst du verdammich oberblöde da, du hast denn dein arsch in fiese nesseln gedrückt, und's heulige schlechtwerden zieht ins haus ein. Klar sind viele sinnigschnacker zur stelle, haben viele namen, die sie dir geben, wo du doch man feine belebung suchst und null schwatz zum mürbewerden, und wenn du eh ins gras gebissen, was soll denn so'n spuk wie der pfaffe, wo der 'n toten tibur nimmer heiligsprechen könnt, aber vom fehlgehn, in dunkle nacht wagen, und nach'm exitus keine zerfressene leber mehr haben und strahlend sein, weil's erdentreiben endlich 'n punkt hat und 'n gottvater dir deinen nacken krault. Mensch vermasselt's meiste, is stets hasenfuß und verpennt ne edle episode, wenn die sich man einstellen tut, is halt innen teig gerührt, aus dem er man gemacht is. Bruder, ich hab so im privaten eigne bilder, so ne wummende vision kam mir vor die ollen augen vor'n paar tagen, also schreib man jetzt die schose auf: 'n verlassenes gelände, 'n gehöft ohne mann und maus, nur'n bulliges pelztier schlägt da man anner kette, will sich nicht ins fell geschmeichelt wissen oder vom bösen dämon die lefze gerissen, mag nur kläffen, weil der olle hüter verzogen is, den er da man nicht vorm bösen buben warnen kann, und 'n fremder wirft 'n langen schatten und will ins tote haus, sich langlegen auf'n stein und aus'm pein wegdämmern. Alle welt will ins weiberreservat, und alles is man orntlich verbildung, wo du man auf kindesbeinen wankst, biegen die dir's kümmerliche alphabet bei, und du denkst, da will ich in aller ruhe die trutzburg stürmen, und'n aufseher brüllt dir zu: besonnen man ans werk du pimpf, und mit hölle atem im brustkasten donnert man erst mal durch's dickicht, doch's gibt null werk und null burg, und kein ausgang weit und breit, aber echt schlamassel. Jeder hat ne kanone, bruder, egal ob unterm rock oder unterm kaftan, und die is geladen. Die kommen dir romantisch, schmieren dich ein mit ach die sonne, wie schön rot geht die man echt unter, hol's der henker, die haben 'n ton, den die schänder haben, du weißt ja, die mit den ollen pralinen für's spielplatzkind. Ich sag dir, wo's geheimnis liegt: 'n romantiker wartet auf'n absatz, wo der man ihn in grund und boden tritt, da will er hin und dabei augenrollen waidwund, das will der männeken auch, ins rotte gemüse gestampft will er sich. Mensch is'n hund, der nach'm unsterblichen jault, und was soll das wohl verdammich sein, unsterblich, ist das'n saudummes tier, das einen aus kugelrundem aug anglotzt? Das ist es wohl, oder is das'n meisterwerk, wo's man vonnem himmel fällt? Mein kennwort is'n anderes: jeder steht rum

wie'n olles galgenholz, und auch'n klassenbester
wußte später eher weniger als mehr, und eins is
sicher, keiner geht leer aus, jeder kriegt sein fett
ab, und manchs is so, daß du man sorglos durch
ne straße streichst, und denn is'n komischer
kauz da, der dir meinethalben volles rohr in die
visage starrt, und er sagt: anders angehn, das is
die olle losung, oder: versuch nicht den herrn,
und auch wenn du den männeken nach ein-
gehender beschau als gassenberber kenntlich
machst, bleibt sein bibelwort doch man haften,
und's kommt gar so weit, daß dich man im
schlummer 'n schlimmer traum anpeilt. Und am
nächsten tag stehst du mit fetten zipperlein auf,
und glühst wie ne noch heiße schlacke, und
schleppst dich grad man soweit, wie das bein
sich hinzirkelt. Wen der blick des zerrütters
trifft, schmiert ab. Und wozu is denn der men-
schenblick gut? Sehen und s'alte abschürfen.
Und man will denn sagen: blick ich ins weiße
deiner augen, brenn ich dir in die netzhaut s'verlangen, und stillen sollst du's nicht können.
Wenn der versucher man dir ins werk pfuscht,
fühlst du als'n schlichter macker bedenken und
kummer, und's sehen hört echt nicht auf, im
grab ruft auch's blanke gebein nach'm spaten, wo
der sich man seiner erbarmt und ihn aus'm lie-
geloch rausschaufelt, aber nix da! Ich sag dir,
mann, innen straßen ne scheißflut von armen
qualseelen, die's erwischt hat, wo die verdammich null chance haben, da was kolossales ge-
genzusetzen, ne schweflige hölle is ambiente bei
denen inner kummerkastenseele. Und ich kenn

so ne seeltype, ne irre halt vom heim für äußerst
waghalsige seelenloswanderer, und die irre hat'n
blick voller sud und toter libellen, ich stell die
mir vor als ne fette ballkönigin mit'm sirupfleck
auf deren ihre halskrause, und die type führt so
ne lütte barbiepuppe gassi, mannomann, wenn
ich die seh wie'n bleicher lump ohne hirn ihre
ehrenrunde drehn um'n block, wird's mir elend
ums herz, und ich wechsel hart die straßenseite
und halte kurs auf unbestimmt.

Is eben so, daß du man in sonem kokon bist,
und'n kokon is hart und borstig außenrum, und
du schlüpfst da man wie handvoll nasser bindfä-
den, und weißt, daß's gehäuse schissig tot is, und
'n leib is'n vergeblicher brüter, denn die schöße
sind verödet, und scham hat fast keiner kommen
sehen, ihre olle mütze lüpfen und's haar zur be-
tracht geben, oder gabel in die linke und's messer
in die rechte. Ich sag's: alle welt will herrisch
sein, und's bringt nix.

Und natur will ich dir man beschreiben, wie
die hier so is und wie ich die mit eigenauge seh:
der herbst greift durch ziemlich hart, fegt was
noch an ästen klebt wie fälligen putz runter unter des menschen schritt, wind wie ganz geschlossen türmt sich auf vor die olle brust, daß
weiterkommen nur mit strengem anlauf klappt.
Und ne steife brise fährt eisern in die kronen, wo
die man bäume haben auf'n kopp, daß's laub
ewig tummelt und wie papierschleifen reich begehrt, aufzuschleifen und nimmer einzukehren
ins sinnige blatt an blatt, und darüber 'n blau
zum fausterweichen, diesig gestreckt und da und

dort ne gespaltene zunge als wolkenbild. Ne wolkenwatte franst dann mal, und's auge erkennt so schemen, die ihm als horoskop herhalten tun und's leben 'n stück echt leichtermachen. Ich nenn das wünscheln, bruder, wenn so'n kaffeesatz einem sieben fette jahre verheißt, vernehm ich's gern und nimm es mit und wünschel mir denn was zurecht. Sowas macht einen denken, man braucht da nicht jetzt die mündung an die schläfe führen, vielleicht später. Und ich wünschel auch mal, daß da nicht 'n kräh inner buche sitzt und kraah sendet, daß ich nicht'n looserkanake wär, aber'n wachküsser für die rechte braut, wo die man mich gottvoll ersehnen täte und warten und frohlocken, wenn ich nun endlich nahe, mit ihr gute nummern zu schieben, und zu sorgen, daß's olle heil auch man so bleibt.

Sex ist Händeschütteln

Ercan, 24, Gigolo

Sex ist händeschütteln, bruder, hier im land ist
das erst mal seife und persil und frische wäsche
und nach ner prägsamen nummer duft vom andern mit gel und stinkwässerchen abschuppen,
damit's haar und d'geschlechtshefe und verriebe-
ner abdruck vonnem körper, den man in der lust
an sich ließ, unterm duschstrahl wegsprengt,
und das, was im teuren lustmoment heiße ware
war und echt unentbehrlich, rutscht wieder man
unter ne gürtellinie, wo da die prüde stalinregion
is: s'fleisch schrumpelt inner bleihülle vor sich
hin, und darf von gelegenheit zu gelegenheit
heiß- und feuchtlaufen. 'n strolchiger vogel kann
da gern mal 'n nest bauen und schrill zwitschern,
ohne daß der rest vonnem leib so'n unterschied
mitkriegt, oder sich zwischen die ollen beine fassen tut, um den zusatz nach charakter zu befum-
meln. Vier hirnlappen glibschen und glibbern,
und schmatzen und drücken, bis'n oberfeines
rieseln duch die stränge ruckt, und denn machen
die lappen auf trautes paar und gehen mal rüber
über die schwammige rinde, weil so'n verschis-
sener anstand gebietet, daß laues streicheln jetzt

67

man wirklich sein muß: bruder, das nenn ich in meiner zunge hirnfick des alemannen, der wie'n stockelender kommandeur die gerade anpeilt und beim vögeln geometrisch daherkommt, er denkt, jetzt man ran, und wie's aussieht haben wir hier ne pulsige latte, die innen weichen schlauch reindonnert, und wenn'n bißchen saft aus'n poren schwappt, kann ich man die pforte dichtmachen oder eben den kleinen freund hinter die salamige vorhaut schieben, und denn hat man die kapitel vonnem weisen handbuch abgefickt und kann gerecht die schissige zimmerdecke anglotzen. Null tempo und viel hirn und danach weg mit'm schmutz, und wie's der olle zufall will is da neben ner bodenmatratze, wo die man mit'm japanschnack bezeichnen tun, ne tüte voll mit leckerlis, und's programm vonner glotze hat auch'n thriller parat, so daß der abend denn auch gerettet ist, weil sonst müssen ja macker und tussi s'maul aufmachen und ne meinung kundtun, und weil sone menschenrede zwischen mann und frau bei den alemannen meist inne dumpfe suppe abschmiert, tut man so, als hätte der fick 'n dutzend affen zum brüllen gebracht oder hundert rindviecher aus'm stall gejagt. Und die tussi gibt dem macker 'n christliches bussi und sagt: Hans, das hast du man wieder gut gemacht, und hans ist oberwohl in seiner brust, weil der denkt: mensch, ich hab petra wieder einen gegönnt und kann morgens vor den kumpeln mit meiner hochintakten potenz protzen. Ich frag dich, bruder: was is'n das, wenn nicht ne winterschlafvögelei, wo da'n ganz fettes versagen heftigen atem und leibhaftiges verhaken und ne geschlechtsbegegnung aus'm bett bannt, und wo's begehrliche zündeln eher erschreckt als scharfmacht. Ne orthodoxe scham mit ner steinschwere und klebriger innerei hockt in der seelenmitte, und denen ihre haut is wie'n robuster schirm, wo der man null eindringen oder unter die olle haut gehen duldet, und zwischen scham und schirm ist trübsal, ist elend, ist ne schlimme zone, aus der der alemanne ne feine empfindung vorgeben tut.

Ich weiß schon, wovon ich spreche, denn in die sexmaterie bin ich eingesunken als'n profihandwerker, wo ich im schweiße meiner ollen lenden mein bargeld hol, jeder menschensohn tut's ja auf seinem weg beschaffen, und mir gab der weg halt ne rolle als bezahlter ficker mit nem einwandfreien service, ich bin eben mit den jahren der übung so ne art kenner worden, der auspacken kann, was lichtblick ist im geschäft und was fiese dunkle seite.

Erst mal isses in der branche gold wert, wenn du als besorger mit'm spezi-bonus kommst, was denn anregung verheißt bei der willigen frauenschaft, was ermitteln tut'n hengst für'n gutenachtkuß oder dolleren spaß und dafür orntlich asche blättert, also da gibt's bräute, die wollen einfach mal'n knackarsch, und daß sie dann auch für ne mannutte bezahlen, törnt die voll an, da sind die halt kommandostelle, und was zählt, ist, daß die mannutte mit'm guten einfall kommen muß und ne geile erregung schaffen. Du bist nur ne fleischpartie, 'n äffchen, das nach seinem herrn befehl luftsprung macht und alle kinder klatschen wie die irren, und in meinem fall muß ich'n rohr ausfahren und'n kolben reinladen, weil's jetzt vonner lady heiß erwünscht ist. Du kannst echt nicht einfach die beine breit machen, und während ne arschkrücke zum eigenen ergußwohl pumpt und pumpt, ne runde wegblicken und an schöner leben denken, das ist nicht drin, egal ob dir bei der frau der magen hochkocht, du bist eben ne fleischbestellung, und du mußt schmecken wie'n fertiggericht, also kramst du dir die letzte erregung aus'm kopfwinkel, um der lady 'n paar gefallen zu tun, und wenn's ihr gekommen ist, darfst du ihre hand bloß man nicht wegschlagen, wo die dir übern arsch oder die olle brust fährt, der job verlangt auch ne nachfickleistung. Die lady hat dich für ne ganze nacht gekauft, deinen schwanz hat sie gekauft, und der ist mir mein bonus, weil ja'n hautstück fehlt, und ich laß man damit die hölle jodeln.

Da ist ja sonne frau mal seltsam geworden, reich war die, schick und gepflegt, man hat's der auf'n ersten blick angesehen, daß die nicht hungern muß bei dem wohlstand dort im haus, ich kam da also man wie bestellt und bezahlt an, und nach'm halben besäufnis knetet die mir unterm gürtel den teig inne rechte form, und als sie sich halt über mir die pralle eichel beugt, sagt sie: du mein schöner jude, und als ich ihr sag, ich bin nur'n schlichter kümmel, wird die lady potzblitz ärgerlich und sagt, ich soll die man nicht zerstören, lieber's maul halten und sie man machen lassen, und das, bruder, ging mir über'n verstand, ich dachte, das ist wohl der ihre olle phantasie und wenn der ihr blut ins wallen kommt, wo die lady man annehmen tut, sie würd jetzt'n verbotenes spiel treiben mit nem judengringo, dann soll die man falsch für wahr halten, mir wirklich schnuppe. Sonne schicke lady hat eben ne latte von klugbüchern gelesen, in der ihrem hirn hat sie's weise wissen verstaut, und vielleicht kommt ja nach vielem überlegen so ne geilheit raus, wo die ihr mitteilt, 'n jude ist mir mehr wollust als irgendwer sonst, na ja, die hat halt auch mitten im ausüben des geschäfts volle kante gebrüllt, von wegen mich fickt'n jude, oder ich ich hab'n judenschwanz in mir inner möse, was die prächtig in fahrt brachte, die hätte sich vom vielen reinbohren in mir den rücken fast alle nägel gebrochen, so fahrig und rollig war die. Am morgen steckt die mir'n ordentlichen schein inne tasche, und nach'm kurzen schmatzer sagt die zum abschied: mein schlimmer judenschniddel, und ich rück denn ab und denk unterwegs, was doch sone christenlady alles zusammenstammelt, wo alle welt doch wissen tut, daß der olle alemanne oberster barbar war beim judenschnitzeln und gas denen ihre lungen treiben. Ich sag dir, bruder, so ne theorie von mir, wo ich zwischendurch entwickeln tat im kümmelkopp, besagt, daß da, wo ne leiche liegt, von ihr der substanz anne ort abgibt, und ihre allererste substanz is eben dolle wut übers ausscheiden und nicht mehr teilnehmer sein am schönen luftein- und ausatmen, und hier's land ist bis zum letzten erdenfleck vollgesogen mit totem judenunschuldsfleisch, das die arschgeigen gekillt haben und schnell man grob innen graben geschmissen oder zu asche verwandelt und weggefegt. Also rächt sich's verscharrte fleisch und klumpt als geist und viele geister in den lebenden, wo die man'n sprung wegkriegen oder'n komplex oder'n seelenausschlag, also sagt mir die theorie, daß so ne lady, wo die man mich ficken tat, sich was geholt hat, ohne daß sie's natürlich weiß, was geschnappt vonner leiche tief unten im schlamm schlimm gemeuchelt.

Wenn du in soner branche deine arbeit schiebst, mußt du halt man dir deine seele eisenhart verschließen, daß auch null dreck, wo du man erlebst, dort ankommt und klebt, denn sonst hältst du die sache mit der liebe für ne infamie, wahr ist ja, daß ich seit jahren als mannnutte inne matratze gefickt werde, und da heißt es immer bloß man hochseilen s'gerät und denn wieder einpacken bis zum nächsten gebrauch, und wenn ich von meinem eindruck ausgehen täte, müßte ich stark man annehmen, daß zwischen mann und frau 'n scheißspiel läuft, wo beide immer sex spielen inner gefriertruhe, auch was mir die leute so erzählen, ist echt nicht die frische, das alles innen topf geschmissen ergibt ne schissige suppe, wo du man nimmer kosten darfst, denn das bringt'n heideneffekt nach'm anderen, bis du aufruhr spürst im bauch und keimig verbrauchten atem tauschst mit frauenkörpern, wo dir mit geldscheinneigung für ne nacht zugetan ist, bis du aus trockenen drüsen quillst, um noch ne letzte liebesportion zu bringen, um denn allein und alt in deiner schmierigen klause zu denken: innen achseln steht der schweiß des mannes, und im wanst die frucht des weibs, und mehr ist nicht drin, wenn welche intim werden und's licht ausmachen, weil noch'n rest scham diesen hundsfottdreck inne kammer hüllen möcht, sonst täte man es erkennen, dies reiben und greifen als ehrlosen zeitvertreib. Bruder, ich will halt nicht so enden, auch wenn ich'n kümmeliger nuttenmann bin, wo der was taugt inner sexbranche, ich will man nicht, daß mich im alter oder sogar viel früher so ne räudige erkenntnis beißt, da ist mir meine verdreckte kleine seele doch zu wichtig, also mach ich bei diesem hirnfickspiel des alemannen ne weile mit, und stell mich dumm, damit's keine querelen gibt, soll mich eben jedefrau und jedermann für'n funktionsficker halten, das ist mir eher lieb. Ich weiß, daß man die schose mit der liebe auch grundanders anstellen kann, und an mir die idee laß ich man kein fleisch und kein fick ran.

Wie nur könnt
ich Erlösung finden

Faruk, 26, arbeitslos

'n klimmzug nach oben, und denn wieder 'n zug,
bis man sich bahn bricht, bis man den ollen
schnee von gestern hinter sich läßt, dahin geht
mein sehnen, freund, und, was mir eigen ist und
was ich weiß und was ich kann, knete ich zu
nem haufen zusammen, den ich in die mitte
schmeißen kann, wenn's ums hochklimmen
geht. Ich will das man in so'n bild einpassen: es
gibt das pummelige fußvolk, ich mein, kerls
eben, die für andere den schneuzlappen hergeben, und die man denn wegwirft, wenn sie's
nicht mehr bringen. Jesus-rettet-dich-typen, ab-
steigeluschen, starke-arme-proleten mit nem
defekten innenbau und tattoos auf'm brustkorb,
schweißer, die fürn hunni ne taiwanmöse knallen und die fette mutti am herd fast totdreschen,
es gibt das ganze blasse, verwichste gesocks, und
das hat klein-ali-träume und kommt nie und
nimmer auf'n grünen zweig, weil, bruder, für die
is'n haus gipfel der gefühle, und wenn ne proll-
kalesche vor der tür glänzt und glimmt, denken
die penner, sie hätten's schon orntlich zu was gebracht. Unten also suhlt sich das viech, das pri-

mitiv gestrickte, und klar, daß die nicht merken, was wirklich abläuft, daß nämlich das wahre starke brüllerglück dem oberparasiten hold ist, dem, der mit null skrupel in seinem startloch saß und es nie vergißt, wie ne hyäne mit den zähnen zu fletschen, um die weniger fitten wegzuscheuchen von den güldnen trophäen des langen pirschens. Das ist nämlich ne kunst, sich bedeckt zu halten, die olle tarnung ist wesentlich, wenn du beim pirschen auf'n zweig trittst, haut das wild ab, und du kannst denn noch so wild die flinte heiß ballern, erwischen tust du nix und niemand. Erst wenn du lernst, wie sich'n oller jäger das gelände zu eignem gebiet macht, wie er das opfer leise und geschickt umkreist, und denn nur auf den abzug drückt, wenn du also die jäger- und mördertarife im kopp hast, hast du ne maximale überlebenschance. Die schwachen erwischen ne lebenslange pechsträhne oder gehen in rente, die starken zocken orntlich was ab und führen 'n prächtiges leben. Man muß eiserne regeln befolgen, die halbe härte bringts nicht. Kleine trophäen läßt man links liegen, überläßt sie den luschen, geht weiter auf das fette wild zu, und hält sich an den menschenverstand, der dir schon die richtigen instinkte eingibt. Gott der erhabene läßt die ollen gaben wie wachteln rumschwirren, aber das gefieder schwirrt dir nicht freiwillig ins offene maul, nee, bruder, da mußt du schon packen und schnappen, und nicht zur ruhe kommen, bis der letzte bissen vertilgt ist. Ich leb in der stadt und hab ne menge gedanken da im obergeschoß, ich hab soviel niedertracht mitangesehen und danebengestanden, so väter, die ihr eigen fleisch und blut auf'n strich schicken, oder brüder, die dir für'n bißchen vorteil in den rücken fallen, lauter solche sachen eben, wo ich lieber hätte mich in irgendnen loch verdrücken wollen, doch ich mußt es zulassen, weil ich nicht in der position war, dazwischenzutreten und der sünde eins reinwürgen. Ich habe gesehen, daß, solange du schwach und armselig und ohne macht lebst, dir jeder, der mal vorbeischaut, in den mageren arsch treten kann, oder dir am laufenden band das herz bricht, und du stehst da wie ne gottverdammte pappfigur, oder ne billige bunkernutte, der die seele rausgevögelt wird. Du denkst, es kann nicht schlimmer kommen, aber es kommt schlimmer und immer schlimmer, und am ende gibst du dir selbst die kante, erlöst dich mit ner letzten mickrigen tat, mit der du allen imponieren willst, und von wegen, daß sie dich in guter erinnerung haben. Aber tatsächlich ist es denn so, als würde 'n lauer luftzug durch ne baumkrone streichen, und wenn's hoch kommt, rüttelt es heftiger an nem ast, der schon mal die olle bindung zum stamm aufgibt und im kurzen freien fall runterkachelt. Für's bessere später oder für den sicheren morgen rauft sich schon manch einer zusammen, in dessen kopf der pralle plan tickt und tickt und tickt, aber aus'm elend schält sich schwaches fleisch selten aus, und wenn, wie gesagt, für den hechtsprung des lemmings von der felskante ins weite, arschkalte meer, wo mit schlimmem ächz du wasser schluckst, bis die vollen lungen platzen. Ich frag mich, wie nur könnt ich erlösung finden und wie gottgefüllte nische beziehen, ich frag mich, wie könnt ich mich retten vor dem angriff des widersachers, der dich heimsucht in der nacht und an den scheiben kratzt, ich frag mich, wie kann ich mich hochhangeln an nen ort, wo's nicht so messerscharf zugeht, ich frag mich, wo ist die milde hand, die sich in meine hand vergräbt, ich frag mich, wo ist die frau, mit der gut kirschen essen ist, an deren weiche haut sich schmiegen läßt, ich frag mich, wann ich das olle zähnefletschen endlich lassen kann, weil ich doch nicht aus'm tierreich bin, und meine ruhe haben will im menschenreich. Und, bruder, ich glaube, wer antwort weiß auf all die fragen, der ist wahrlich ein gottverdammter weiser.

Erbarmen is's wahre Vitamin

Fikret, 25, arbeitslos

So'n heikler unterschied muß echt schon aufs biegen und brechen ins verständnis rasten, und's verstehn gibt's nicht, wo du man am fenster stehst und anner gardine rüttelst, und du siehst denn mensch und allerlei geschöpfarten ihren tagtäglichen weg zeichnen, und du ziehst dich zurück, weil du dich so nem pfiffigen ekel ergeben, und groß gefallen gefunden hast, inner privatbarackigen bleibe theorie zu machen mit'm oberewigen schwanz dran. Was anderes als du kann ja man nicht praktisch vorgehn, und für dich 'n erlebnis zaubern und dir zuwerfen, als wär's 'n zauberball, nee, bruder, dem fakt seine natur is, daß er stramm beschaffen is, und niemandem zu gefallen wird er 'n weichbild abgeben, oder aus'm vorsatz, daß da einer mit ner niedrigen schwelle doch um ne milde annäherung bettelt, von seiner natur was hinausschmeißen, wie plunder aus'm haus rausfliegt. Wenn da 'n männeken dir raten tut: sei hart im nehmen und verteil denn auch deine gaben hart und so, wie'n fakt eben aussieht, wenn der dir sonne pfundige lebensidee einklopft, mußt du für wahrheit dankbar sein, die da man aus 'n paar lebensideen zusammengeflickt ist. Sünde kommt denn eben aus ner albernheit, aus ner puffromantischen ader, rosig wohlig hinter gardinen zu stehn, und andrer leute fehlgehn für eignes stolpern falschzuschätzen, was ich also theorieschiß heiße, den wahren versucher, den holzstockschleuderer zwischen die ollen beine, wo du, gelassen im falschen glauben und verbissen anner grundfremden nahrung, gar nicht dazu kommst, irgendne direktion einzuschlagen, so versteckt hältst du dich hinter so grauen schleiern.

Dies also als so ne art liebesreden zum gewicht des fakts, und wenn du, bruder, dies mein vorwortmachen verstehen tust, kommst du man auch mit bei dem, was ich so an wahrheit wiedergebe, die schlicht auf mich zugekommen, auf daß sich mir draus nicht'n galgenstrick drehen läßt.

Ich kann hier voll von der kanzel wider die landeskinder rede halten, doch neu wird's denen auch man nicht sein, wenn ich dem alemannen attestier, daß er statt ner haut ne glasur hat wie auf'm berliner in der konditorei, und das, was ihm die lider so umfangen, kein aug ist, aber ne illusionskapsel, daß's teutsche gesicht wie die olle bismarckstatue im park befallen is von sonem ungeistigen grünspan. Ich nenn das verlassene farbe von leuten, die man sich in ner wildfremden szene wiederfinden, und'n leben lang wurmt sie die fremde regie, und die leute würden gern 'n andren text quatschen, aber die besonderheit des fakts läßt da nicht locker. 'n alemanne mimt gern 'n verwegenen flegel im busch, unartig will er sein und fenster einschmeißen, und igel und frösche quälen, und's wundern is denn auch'n starkes stück, wenn da ne dekade rum ist, und er man feststellen tut, daß er inner gelehrtenrunde zwar 'n schlauen spruch landen mag, aber so ne obermutti ihm inner psyche hockt, und ihm dreimal am tag die vollgeschissenen windeln wechselt. Ne einzige spange hält die man zusammen, mann wie frau: zwingewille, und die stehn innem machtgefüge in reih und glied, wo das man die verdirbt und denen ihre schöne seele klaut, so daß sie im schlummer mit'n ollen zähnen mahlen wie'n wiederkäuer, ne latte von oberfiesen störungen kriegen die eingebastelt, da können die noch so'n feinen zwirn tragen und noch so fern reisen, wo sich erbarmen nicht zeigt und den versehrten mit'm teller warme suppe heilen nicht drin ist, da herrscht 'n dämon mit'm fiesen grinsen inner visage. Wenn mir der olle nachbar hungert, will ich ihm ernährer sein an ihm seiner haustür, wenn mir's herz bebt, weil da'n gottesgeschöpf inner lausekälte bibbert, bin ich streu unter ihm seinen füßen, und geb ihm auch den letzten fetzen inner garderobe, wenn ich seh, daß'n afrikabruder drangsal spürt, wo die man von weißarschmotzern gezeugt, wechsel ich mir auf der stelle die farbe von der pelle und bin ihm sein streiter, auch wenn ich denn genommen werd in ne unwohlige eisenzange. Bruder, erbarmen hagelt da man nicht runter, daß man bloß 'n schirm spannen tut und die brocken sammelt und frißt, wie olle potenzpillen für nen scharfen harten im hosenstall, nee, erbarmen is's wahre vitamin, daß du man schön vonnem körper hauseigen produzieren mußt, und dort verteilen, wo sich ne hand streckt, das nenn ich ersten fakt vonnem hundeleben, das mensch ja immer führt, egal, wo du ne lupe hinhältst. Lebenshilfe mußt du parat haben, und scheißt der hund auf 'n psycho-fummler inner praxis, der tut dir ins haus ein-brechen und dir's vorenthalten, daß du man vom erbärmlichen zum erbarmen kommen sollst, sonst geht doch man geschmack richtig flöten.

Der alemanne denkt, er hat zu viel von was, aber der hat zu wenig von was, und das is 'n grund, wo der man das nicht fressen will, weil er sich freuen tut auf'n schwindel wie kompli-kation, aber daß's schissig schlicht vor ihm sei-ner nase baumelt, der kompakte fakt, so leicht zu pflücken und zu kosten, damit kannst du ja dem harten alemannenkacker nicht kommen, der kotzt eher ne angedaute tomate dir vor die füße, als daß er man erbarmen begreifen täte. Ich seh die hier im land also nur würgen, und spaß haben, daß sie man würgen, und vom zu-schauen kriegt alle welt s'würgen, und so hast du, bruder, ne pestige seuche, die in allen kör-pern regiert, weil man ihr die krone auf'n kopp gelegt hat, und den flegelkönig windelnaß an-winselt, als wär der wirklich 'n blaublut und könnte über'n anbefohlenen leib herrschen. Ich stell mir denen ihr defekt innem nüchternen bild vor, daß nämlich so'n kreuznormaler straßenbaugraben, wie man's allerorten beim stadtbegehen fast vor'n fuß geknallt findet, denen ihr schönbild ist, 'n schlund, wo da annen seiten noch die brocken rieseln tun inne unheimliche tiefe, aus der sich man's ganz üble grunzen vernehmen läßt, 's schweinesgrunzen vonnem ins erdloch reingestampften übel, na, ich nenn das echt lieber schmerz vonner leibwunde, weil ich ja dies schönbild mit'm defekt verbinden mag, da's auch anschaulich wird inner prima form.

Rost frißt sich durch rohr und kabel, das will der tod so, 's siechen ist dem tod seine tiefste gravur und verantwortung, und's einplanieren und asphalt rüberschütten nützt nicht 'n furz, kann ja sein, daß's paar jahre gutgeht, aber rost hat ja ewig zeit, wenn er was verrichten oder anfallen tut, aber nem männeken seine haltbarkeit wird schon nach vierzig hundejahren ins heikle schlingern kommen, also wer ist hier der olle besieger und monarch?

Rost is 'n monarch, schimmel is 'n monarch, die mikrobe is 'n monarch und mensch nur untertan, so ne lebensidee muß du man orntlich unter deine olle schwarte ziehn lassen, damit's altern und siechen nicht ne böse überraschung wird, laß dir da man nicht von geldkrams und gier die auffassung trüben.

's kommt alle tage vor, wenn's dich meinethalben in 'n andres lager als dein eignes zieht, weil die seele zappelt wie ne lose wäscheleine, daß du man entdeckst, da ist mitten in der city ne strecke abgeriegelt, als wär schlimmer mord passiert, als hätt meister ripper s'ausbeinmesser ausgepackt und's kleingehackte wie aus ner wundertüte in die gegend gestreut, aber nee, nagezahn fäulnis schlug man wieder wild um sich und kippt ne verfügte ordnung und schlingt über gebühr, was so in ihm sein schoß gelegt. Der alemanne is'n elend. Der archäologe mit ner spitzhackenräson, der will man amtlich 's kalte grausen, was da raushüpft, wieder zu ner schicken materie zusammenpappen und wieder in'n schlund ballern, sonst wird der alemanne ja unwirsch und sieht was rausquellen, das nach jude und bolschewik riecht, und das ist für ihm sein wansthirn ne nummer zu fremd, also schüttet er man die misere zu. Nur, das reicht den pennern ja nicht, also müssen die in die pranke speicheln und mit ner schaufel in'n eigenen psycho reinbrettern, und nach nem halben hundeleben haben die irgendnen schissigen kummer entdeckt, wo der man glänzt wie 'n goldnugget, an dem halten sie die andere hälfte fest, damit denn nicht'n kanake wie ich kommen tut und meinen: mensch, euer kummer is'n nulldreck, werft verdammich die olle schaufel weg, so'n todernst hält kein viech aus, wo ihr man mit hausieren geht. Aber, bruder, der alemanne ist ja gern dozent und mag ne weisheit nach ner andren in die welt scheißen, nur wenn's drum geht, mal die eigne personhaltung aufzuknacken und's madengewimmel rauszulassen, ist er nicht mit von der partie. Der alemanne, bruder, frißt krise, scheißt krise, und steckt dich mit ner grübelmikrobe an, daß es auch in dir man kriselt und scheppert bis zum jüngsten tag.

Ich spiel in der Liga der Verdammten

Hakan, 22, Kfz-Geselle

Mir ist nicht klar, wieso es sowas gibt wie das stunde-für-stunde-wegrinnen, und daß man, als ginge es nie mal talab, wieder zum gutglück dumpfem niedrigsinn anhängt, an dem man sich vollgefressen hat, der die magenwand quält und hochspült wie'n kupfertaler, den man versehentlich geschluckt, na ja, ich meine, vieles von dem, was so los ist in der welt, dies oberkacke elend mit protz und heissa, dies allgemeine vermeiern, das ja schon tarif ist, ich versteh's nicht, ehrlich, daß mich die miseren im bund anfallen, und erste güte fehlschlag nach sich ziehen, weil ich denn'n gelähmter bin mit affenscheiße im maul. Das weiß ich wohl: ich spiel in der liga der verdammten, so verdammt und zugenagelt wie der ochsige alemanne kann ich aber bei gott nicht sein. So tief rutscht bei mir die würde nicht in die hose, daß ich mit blondem busch auf'm schädel und nullmannesstolz talent im leib ein hundeleben führ wie das des alemannen, der die zucht bei ner dominavettel holt, und sonst ordnung kläfft, wenn so'n kanake wie ich fremden rasengrund betritt. Hol doch die alemannenbrut

der gehörnte, dort ist das olle pack als höllen-
holz in bester gesellschaft und kann so richtig
wie nie zuvor in scheißdampf vergehen. Ich
bin keiner, der die ich-verstell-mich-daß's-deut-
sche-aas-mich-auch-echt-gern-hat-pennernum-
mer bringt, ich fang die miesen stöße nicht ab,
oder duck mich schwer unterm blonden fluch.
Was soll überhaupt dies pomadenschiß von
deutsch-ist-nummer-eins-was-gibt, die schön's
proletenmaul aus'm gelenk kippen und über-al-
les-in-der-welt jaulen, wo jeder klarsieht, daß
auch der niedrigste und sperrigste aus'm asiaten-
reich mehr manieren und memoiren hat. Schau
dir doch dies ariervölkchen an: die haben von
ihresgleichen die schnauze gestrichen voll, und
reisen weit weg, wo sie sich, und das ist auch'n
fettes kapitel für sich, wie kaputte gullivers im
zwergenstaat aufführen, daß einem als sehender
die scham die kalotte preßt. Die gehen in ihrer
blöden heimat in feinfesche lokale, zum spanier,
zum portugiesen, zum chinesen, zum mulatten,
und auch zu uns, und lassen sich einen salatnas-
sen döner in alu wickeln. Und wo ist denn ihr
eigner folklorefraß? Das heißt denn gutbürgerli-
che küche, und meist würgt man da an nem
stück ferkel und schiebt rotkohl nach. Schau dir
man das pack an, wenn die man orntlich bedon-
nert sind, bei uns singen die leute wenigstens ein
paar takte aus der sentimentalen mottenkiste,
und spät in der nacht kracht denn der schwere
schädel auf'n tisch. Hier wird gebrüllt und
fremdes verflucht oder gejagt. Folklore is für'n
deutschen musikantenstadl oder schlesien-wie-

fehlst-du-mir oder'n karatehieb ins kanaken-genick, daß man auch als der letzte prolofucker noch'n kraushaar unter sich weiß. Der deutsche malocher is ne pogromsau, tottreten is für die hier oberster volkssport. Also, wer will mir hier was einreden von wegen du bist hier'n für-ne-weile-gast, also führ dich man hier nicht wie'n freier auf, sonst kriegt der alemanne wind von, und kann dir den kragen knacken. Ich bin'n freier, und knecht nur vor gott dem herrn, und sonst keiner blondsau was schuldig, und wenn's mich ins nordische was getrieben hat, dann isses mit schweiß erkauftes geld, dafür tu ich auch der einheimischen dreck kehren, und das ist denn einwandfrei und legal dienstleistung. Mein ruf an die kanaken in alemania is: freunde, wenn euch die wurzel trocknet, seid ihr toter busch im wirbel der winde. Wenn ihr die hand gebt dem unbeschnittenen, vergeßt nicht, daß er auch seine eigene mutter auf'n strich schicken würde, wenn genug schotter für ihn herausspringt. Wenn ihr wie olle zoopaviane nach des deutschen wärters zuckerwürfel schnappt, vergeßt nicht, daß ihr euch habt eure blanke seele verwursten lassen. Ne zornige macht von straighten türkenseelen is wie tausend rechte haken ins bleiche wabbelfleisch des deutschen oberteufels. Ich ruf den brüdern zu: bildet ne stramme einheit, und haltet euch fern von den psychogemetzeln, die da in alemania toben. Verderben ist der stammname des blonden teufels.

Geld oder Gurgel

Halid, 27, Kleinhehler

'n hasse-mal-ne-mark-penner lief mir da übern weg, und ich war schon doggy und verkümmelt noch vom prozentsuff letzte nacht bei nem kumpel im selben revier, es kam mir echt hoch, als ich den pickelkacker da sah, wie er auf schwarzfuß macht vorm ollen karstadt, und'n gesicht, als würd die type hundert scheißtage man im regen stehen und sich nich rühren, 'n brunziger windelnässer war das, da hab ich ihm den ganzen rotz aus'm rachen ins gesicht geschleudert, schwer zu sagen, wieso der ärger nich in mir blieb, kann mir auch egal sein, das will ich mir man nich ausbrüten. Nur is mir auf'm weg durch die fußgängerzone was klargeworden, ich dachte, mann, die sorte type kenn ich, dem seine alten haben ne gute mehrzahlstube, und da leckt's nich durchs dach, und der boiler is prima in schuß, die alten gönnen denn ihrem blagen wenn nich ne fette so doch halbkorrekte nestwärme, und ne warme mahlzeit kriegt die type auch vorgesetzt, und kann denn mit'm alemannenpaß inne passable zukunft blicken. Aber nee, der ficker muß ja'n tragiker spielen, als würd er auf ner scheißbühne stehn inner blechigen ritterrüstung, der ficker denkt, mann, mir is'n stück zu warm unterm weißen arsch, und für ne bürgerfassung bin ich nich zu haben, erst mal orntlich ärmlich sein und echt schwer kaputt, und denn filz flechten ins grüne haar, und ne maske auflegen, als hätt er'n schnuller im arsch, und da man inne fresse rote krater vonne akne wimmeln, als hätt die type bronzige pocken. Wenn das alles drin is bei ihm, isser mega-in wie'n schwein.

Ich sag dir, bruder, hab das mit diesen verkümmelten augen gesehen, da latschen die lümmel in so tretern wie's die oberschissigen glatzen da man haben, und's paar kostet heidenscheine man, die legen's taschengeld von mutti hin, und in der warmen bleibe scheuern die ficker mit stahlwolle die kappen striemig, und's hemd in flanell wird vier gänge in der trommel farblos gekocht, und'n nickelgestell drücken die man da in die nasenwurzel, und's ganze getue und geblödel hat ne einzige ambition in sich, das will nämlich bedeuten, daß die ficker halt auf lump und oberschlimmen aussatz tun. Dann isser man orntlich in und doggy hype, dann isser inner punkigen szene, wenn der pickelschisser die babyhand aufhält, und doggy hype isser auch, wenn er aus der flenspulle nuckelt, so recht prolet eben kann er wie'n rocker anecken, und's ihm seinen eltern echt obertoll geben. Mannomann, was soll das? Zeigt sich was im busch, was ich nich durchblick, oder is das ne spezibrut mit ner oberheißen nummer mit'm geheimnis, das sich lohnen tut, so ne art im armenfell rumlaufen, damit's revier nich checkt, und denen man nich'n stilett an'n kehlkopf setzen tut von wegen: geld oder gurgel. Ich hab halt meine eigne hypothese mir zugedacht, und die sagt, daß'n luxus nen gegenzug aus'm hut holt, weil's inzestreine irgendwie blass und blutlos scheint, 'n palast verlangt nach ner hütte, pelz steht gegen parka, und ne hausmutti steht gegen ne hure und so weiter. Ne arme kanakenlaus wie ich wird ja bis zum weltende nie und nimmer bittertragisch rumhumpeln wollen, ne laus will ne lausige erscheinung nich, das hat auch'n geheimgesetz, was einen eben die form vertreten läßt. Da soll ja das volk nich den schluckerausweis vonne fetzen ablesen können, mir nich ne lähmung wie vonnem stromzähler abschreiben, da sei gott hürde vor, und ne gelähmte erscheinung biste, wenn du dich innen verhältnis kopf voran und die beine nachgezogen oberfies ergibst. Sowas riechen die völker, also schreib das man wie ne wichtige eintragung da in dein kalender man auf: der zustand is, wie's dem zustand gefällt, und wer nich die wölfe aus'm schneewald anlocken will, wo die man echt scharf sind, dir's blut vonnem kopp abzuzocken, und deshalb ohren spitzen und augen richten, wenn du's hinkriegen magst, diesen wölfischen zingel-zangel abzutun, halt das maß ein: weder über'm maß noch unter der forderung. Deshalb, bruder, zeig ich wohlstand wie's nottut, daß mir die völker nicht anfangen, die blassen rippen zu zählen, und wie's mir gefällt: gold mal annem finger, gold anner kette um's gelenk, und gold fürs armband. Das ist nämlich meschugge, wenn'n dunkler männeken auf die idee kommt: Mann, die type, die da hier vorbeilatscht, is die reinste goldader, ich dreck ihn mal an. Und eh ich mich verseh bin ich mein wohlstand los, und ich denk noch: scheiße, das war überbeladen.

Also, bruder, bin echt die mitte zwischen nem ne-mark-gammel-schisser und nem kraushaarigen kamelkacker.

Ich bin, der ich bin

Hasan, 13, Streuner und Schüler

Du willst wissen, wie mein dreh is, und ich will ihn dir mal verraten unter uns: zorn, wie ihn dir der herrscher beigab ins blut, in die sehnen, ins organ, denn die alten erzählen doch: im anfang war schlick, und der kam irgendmal an die reihe, puste, gottes ureigene heilige puste kam da rein und brachte ordentlich regung in den matsch, war wohl sowas wie ne gute infektion, das geb ich dir also erst mal mit, wenn du schon fragst, was hier abgeht und was nich. So ist es: ist ordentlich sturm, zieht's die dachziegel runter, knallen mit krach da mitten auf's autoblech, du kriegst den schreck, mann, du verpißt dich, weil dich da was beißt, womit du nich rechnest, du kannst mit nix dem beikommen, weil der schreck ne ordentliche ladung hat und keinen körper. Das hab ich mir gleich gemerkt, wie ich da wie ne tunte am schlottern war vor'm dämon, von dem die alten sagen: der dämon macht'n mann zur metze mit ner schrumpeligen seele, und jedes kind im viertel lacht und zeigt mit'm finger auf dich, weil's dich so erwischt hat, daß du ungesund bist und nich mal fähig, nem anderen die flosse zu drücken. Also, du hörst es von mir, ich hab mir den ganzen mist was abläuft gemerkt: du bist der fighter und drehst fein deine runden und nimmst die puste aus deinen verdammten lungen, und machst draus ne schöne form mit nem spitzen ende und sagst den hängern: freunde, nicht mit mir, mit mir nich, und die kapieren wie nix gutes. Und die sagen: du bist auf'm damm, mann, wie willst du, daß wir dich nennen? Und du sagst: ich bin, der ich bin! Bruder, das hab ich mal aufgeschnappt von nem spaghetti, und der hat 'n film gesehen mit'm meschuggenen cop, der hat'n verrücktes ding drehen gehabt in seiner birne, der stieß immer auf schmutz und dreck und schlick, und das war sein easy ausweis, wenn ihm jemand über'n weg lief und fragte, wer er denn sei und woher. Und der cop sagt dann cool: baby, ich bin, der ich bin, und was machst du in der gegend. Man muß die hänger dazu bringen, daß sie dich von weitem erkennen als wärst du ne olle ampel, wichtig is, wer die frage stellen darf: was hängst du hier rum? Die gegend is wichtig, genauso wie die dampfende schüssel, die mir mutter vorsetzt, und sie sagt: iß, damit du kräftig wirst. Und was heißt das? Das heißt: laß dich nicht unterkriegen. Also in der gegend wohn ich schon seit meinem ganzen leben, wenn ich rausgeh, muß ich wissen, wo die hänger sind und ob die da hängen dürfen, und daß ich fragen kann: hier hängt ihr rum, das geht klar, weil's meine verdammte gegend is. Du könntest nich auf die zugehen, da ziehn sie ganz schön ne wand hoch wie nix gutes, du bist baff, wie schnell das geht, an die hänger kommst du nich ran, da is pech vor und dahinter, ne ganze mannschaft, an denen du dir die ollen zähne ausbeißt, die ziehn dich denn in die schlinge und stellen fragen. Alles ist geschlossen, wenn dir nicht danach ist, dich zusammenzutun, kommt der schreck und packt dich weg, bruder, das kann ich dir sagen. Deine chance heißt: mit paar hängern vermassele ich's mir nich, ich hab nen wert, ich hab ne zweite haut, da brauch ich feinen zwirn nich, weil der wert, den gibts nicht im kaufhaus, den hast du, weil die leute sagen: der ist die gegend. Paß auf, sie meinen nicht, daß du in derselben gegend hängst wie sie, sie sagen, du bist die gegend, und das mußt du erst mal in den kopf kriegen. Du kommst zur welt als knitteriger schlabberlatz, die ziehn dich dann groß, bis du in'n paar schuhe reinpaßt und später brauchst du keine windeln und kannst dir selbst die senkel binden. Auch mit der familie und auch mit nem namen bleibst du ein bastard, du hast krause haare und benimmst dich nicht wie die deutschen, denen das licht längst ausgegangen is, du hast was vor, aber ne menge arschlöcher möchten dich aus der gegend haben, und wenn du dich nicht wehrst, kappen sie dir die leitung und machen dich zur dunklen memme, da verbringst du tag und nacht damit, wie's um dich steht, doch weil die kraft dich zurückstemmt, bist du mächtig in der klemme, mann, dir kann das nich egal sein, daß dir der olle sabber runterläuft wie bei der irren abteilung in der geschlossenen, du hast das gefühl, da is ne teuflische pranke auf deinen augen, und das ganze feixen bringt dich nich ne elle weiter. Einen von den alten hat's erwischt, den araber wegen seiner dunklen pelle, der denkt, ne blonde erzböse bürste will gift in sein tee mischen, redet von nix anderem als, wie schlimm die olle is und wie die mit ner speziallauge ihm die pelle rubbeln und weißen will, weil sie sich nur mit nem weißen macker abgeben will. Der araber sagt, er kann nich ehebrechen, gott hat's gewirkt, daß er nach seinem ratschluß ne gute frau nahm vom dorf, und jetzt, wo der teufel den fuß in der tür hat, kann er kein auge schließen, nich, die weiber hier, sagt er, machen den mann zum dürren gerippe, und er kann sehen, wo er bleibt. Bruder, der araber glimmt jetzt wie'n falsches juwel und verplempert seine leibeskraft, und mehr als auf'm schemel platzfinden kann er nicht, also ich sag dir: das wasser schläft, der feind nimmer, heißt doch so bei uns, du mußt lernen, im rechten winkel zu lugen, ob um die ecke gehen wirklich was bringt, weil da ja vielleicht 'n hänger dir die gurgel putzen möcht, und laß dich bloß man nich ficken. Ich mach mir mein paradies, und merk mir die hölle der anderen, weil du leicht da hineingerätst, und die falle schnappt zu. Dem araber seine hölle heißt ne blondine, die gibt's ja nich, ich glaub, der is selbst scharf auf so ne tusse, in die er seinen harten stecken kann so nebenbei, und er weiß, er will's und er will's nicht, also gibt das ein spektakel, 'n mächtiges kopfzerbrechen, daß ihm das grat kracht. Der is nu 'n derwisch, ja meister, manche drehen durch und finden in der hölle ihr heil, dürfen reine weste tragen, aber bezahlen mit'm kopf. Falsch ist falsch, im dreck stecken is falsch, 'n hänger auf den fersen zu haben is falsch. Deckung ist richtig, das hab ich doch begriffen, ne olle fassade mit'm richtigen anstrich, und das meiste geht an dir vorbei. Wenn du in der hölle auffällst, machen sie dich zur schnepfe, und dein himmel is futsch. Bruder, mußt außen feste hülle haben wie stahl und innen deinen eigenen kram, dann bricht der dieb nich ein und nimmt nix weg von wert.

In der schule lehrt der oberdeutsche was, daß ich null vorankomm, wenn ich's wissen nich hab. Ich hab mein wissen. Ich geh in der gegend auf und ab, und die hänger nicken mit'm kopf und wollen nich wissen, wie und wo's langgeht, das ist mein stil. Ich hab'n scharfes ende, das brauchbar is, da hält man abstand, weil man weiß, da fängt meine hölle für die anderen an, da latscht man nich rein und macht sachte die tür zu. Die alten sagen: für jedes schloß ein schlüssel. Für meine tür hab ich'n schlüssel, der paßt, und mein wert is zum teil der schlüssel, zum teil, was da hinter der tür so übles wartet. Der deutsche kapiert das nicht, meine sorge soll das auch nich sein, daß sie das in'n kopf kriegen, ihnen gehört das land hier, sie haben ihre ollen nester, und das geld is ihr wärmespender, ich aber bin nich mehr da, wo ich herkomme, und nich, wo ich hier rumlungere, hört sich an wie'n verdammter dichter, bruder, aber es is auf gott den herrn geschworen, was abläuft in der gegend und woanders. Diese scheiße mit den zwei kulturen steht mir bis hier, was soll das, was bringt mir'n kluger schnack mit zwei fellen, auf denen mein arsch kein platz hat, 'n fell streck ich mir über'n leib, damit mir nich bange wird, aber unter'n arsch brauch ich verdammich bloß festen boden, wo ich kauer und ende. Die wollen mir weismachen, daß ich wie ne vertrackte rumheul an muttern ihr zipfel und, auch wenn's hell is, bibber vor angst, weil mich das mit innen und außen plagt. Die deutschen müssen was zu hassen kriegen, damit sie wie'n köter an'm knochen knaupeln daran, und wenn sie nix zu beißen haben, kriegen die ne wut und zünden an. Du hörst das von mir, bruder, vergiß das nich, du hörst die gute alte wahrheit von nem ollen kanaken, den die hänger nich gekriegt haben, ich kenn die masche, ich weiß, was ne münze is und was richtig gut schotter. Bin hier die gegend.

Deutsches Land
is ne salzige Puffmutti

Hüdaver, 22, arbeitslos

Deutsches land is ne salzige puffmutti, da fall ich schon allererst mit der tür ins knusperhaus, wo die man uns schokostreusel und alle menge herrlich gaben vor's maul hängen. So richtig wie ne olle rinderhälfte hängts da an haken neben haken, und's schmackhafte tut baumeln wie ne gehenkte sau, die's zungenfleisch rausstreckt im tod, und so isses hier vor ort, daß alles und jedes wie vom herrn geschickt auf begehr und verlangen drückt, und is man schwach geworden und nimmt ne handvoll süßprobe, hat's den macker schon unendlich erwischt, weil's anfang is vom großen fressen, anfang vonner liederlichen schlimmansteckung und anfang vonner unendlich und ewigen folge von bissen mit verficktem endgrunz zum schluß. Das kann man wirklich haben im deutschen land, wo man die puffmutti olles pfundsfleisch preist und für'n tarif denn sorgen tut, daß der lütteste pisser gern sein triebprügel da stampfen kann inne höhle vom nuttenland deutsches land. Verstehste macker, das is hier vor ort mir'n orntliches bild, wo du man aufschreiben kannst, wie's läuft, wo du man gekraxelt bist mit ner pissigen frage, wie's leben ist und wie'n lebemann schon man echt die kante vom tagenlangleben gestrichen voll hat, weil der umstand halt so is von wegen nutte und bumsgierige männekens weit und breit. Das mußt du eben in meinem blick sehn, ich mein, wie ich's seh, daß's passiert hier vor ort: da is ne oberschlechte spukfee, und die kackt dich an und sagt dir: macker, ich geb dir der wünsche drei für's erfüllen, und der macker sagt: schwanz aber auch, ich seh wohl nich recht hier, mann, aber hier hast du fotze mirs drei-punkte-programm, und die fee zittert denn ab, und denn macht's ding dong und blink, und nich'n scheiß-stück von dem zeugs, wo du man n'wunsch frei hattest, nur'n schäbiger kontakthof, und da stehn denn man bunkerfotzen rum wie sau, und's heißt: macker, je nach schotter kannst du man pimpern, und für ne gefällige metzenpreis-lage mußt du man verschissen hart dabei sein, um die gage abzudrücken, also gehst du eben für's ganze kurzelende hundeleben da draußen echt fertig besorgen s'geld, und weil du ne rissige untersohle bist von oberhundigen reichmän-nern, bleibst du gestraft mit mäßigschrecklichen ficks mit ner vettel, wo schon bei der wie pottsau sich falten tut ihr speckpansen. Mehr kriegste nich macker, das haste hier vor ort man groß schriftlich, weil du nich'n schwanz klar wählen kannst und man nich im nuttenhaus die schmierage dir direktor nennen tut. Du kannst ja man nich sagen: hey, ihr ficker, mir is ne fee er-schienen, ganz leib und seel, und rote backen

war die fotze, und die hat man orntlich leim ge-
kleckert auf mir aufs pflaster, und ich schlitter
man völlig kirre in'n laden, aber nee, die haben's
trumpfblatt im ständigen eigentum, die haben
dich voll am zipfel gekrallt. Beschissen hat die
gesamte bagage dir's seelenheil, als würden
pfunde warzen da man blühen, und durch's herz-
blatt stechen. Warzig und aus ner man doch
rechten form gebracht suchst du dich aus ner
schwanzigen misere wegzubiegen.

Es is's torkeln des dichten säufers, was du da
bringst, 's zwecklos und heillos, und du kannst
nich man dir dein frühling erleben, 's herbst und
winter und tot und in der hölle, und denn hast du
was, mann, echt zum greifen nah, und was hilft,
is junk, der wahre gentleman.

Haß wirkt
sieben Katzenleben lang

Kadir, 32, Soziologe

Als kleiner junge, noch so sehr in die unschuld
verstrickt, daß ich der kerbe auf weißen aspirin-
tabletten eine zutiefst untergründige bedeutung
beimaß, war es mir eine ziemliche freude, einen
stecken bei mir zu haben, einen ganz gewöhn-
lichen zweig eben, den man in der hand so vie-
ler knaben sieht. Den stecken trieb ich in die
feuchte erde, meist noch klumpig nach regenfall,
und stellte mir vor, wie ich unheil stiftete, die
eintracht der unterwelt durch meine private na-
turkatastrophe für kurze zeit zu fall brachte. Viel
wichtiger war es zu vermuten, was wohl an dem
zweig hängenblieb, zöge ich ihn wieder heraus.
In meiner kindlichen phantasie schuf ich mißge-
staltete geschöpfe und bucklige dämonen, nicht
größer als eine fingerkuppe, die ich ans tages-
licht zerrte und die sofort zu staub zerfielen.
Diese idee des untergründigen, des erosierten ge-
heimmaterials, der in die versenkung, in die
blickdichten abgründe abgeglittenen stoffe, hat
mich nie wieder verlassen, und ich glaube, daß
ich deshalb ein typisches kind des ostens bin.
Der orient besteht einerseits aus groben flicken,

aus überbehausten städten, und andererseits aus weiten seelenlosen ebenen. Das land erstreckt sich nicht freimütig, es hat falten und nähte, buckelt sich über grollendem gedärm des erd-inneren, stachelt im wucher von brandigem pockenkraut und weist weiter auf einen heidni-schen zorn, da es saat nicht fressen will und die schneide des pfluges schartig macht. Ihrer zahl sind viele, die diesem land nicht gewachsen, nach sinnlosen versuchen, furchen in den acker zu treiben, in die städte fliehen. Und geflohen in scharen sind sie einst nach europa. Man stelle sich das mal vor: noch heute sprechen sie von der fremde und von christenhunden, und während sie nach ihrem ergriffenen gutdünken reden, be-wegt sich ihr arm wie ein gesprungener mahl-stein. Sie sagen worte wie: die rechte soll mir abfallen und die zunge mir verdorren, wenn unwahres meinen mund verläßt. Sie sehen aus wie janitscharen in billigen polyesterhemden, sie sind fürchterlich schlecht gekleidet und haben winters gesprungene unterlippen. Sie ernähren sich von teig und fett und haben eine ganz bestimmte art, brotrinde in ungesunde sau-cen zu tunken. Sie verzeihen ihren söhnen nicht, daß diese über plastikkloschüsseln gebeugt oder unter stromzählern masturbieren, sie lieben ihre söhne als zeuger von dicken enkeln. Auf hoch-zeiten tragen die frauen schlimme gewänder mit rüschen und langen schleppen wie entenbürzel, und die feierlichen dicken männer betrinken sich und haben kümmel am borstigen bart, der mit wichse gerichtet von kleinen glanzspren-

keln wimmelt. Den hochprozentigen anis-
schnaps nennen sie löwenmilch und können au-
genblicklich vor kummer in tränen ausbrechen.
Ihre nostalgie ist dumpf, ihr haß wirkt sieben
katzenleben lang. Ihr deutsch ist lächerlich, ihr
türkisch grob dialekt, ihr vaterland immer noch
die ferne türkei, aus der sie mit zwiebelsäcken
beladen zurückkehren, als wären in dem ungläubigen land alle reserven aufgebraucht. Sie haben
eine erbarmungslose schwäche für kitsch: vene-
zianische gondeln, gipsfigurinen, gestrickte klo-
rollenhütchen, obstschalen aus hartplastik, re-
sedagrüne tischdecken, gebetsteppiche an den
wänden, nippes in keksdosengold, gehäkelte
armlehnenschoner. Die männer werden nicht
müde zu versichern, wie kräftig sie waren in
strotzender jugend, und was für ferkel die deutschen sind, weil sie zur intimhygiene toiletten-
papier benutzen. Und sie lehnen sich selbstge-
recht zurück, sie, die nach der defäkation sich
mit der linken hand waschen, und nicht mit der
rechten, wie es der prophet geheißen. Sie sind
mümmler über gebundenen heiligen büchern, in
denen kryptische lettern zum hohelied des zür-
nenden zusammengebacken wie in stein ge-
meißelte inschriften anmuten. Die männer hassen es, kerzenwachs schmelzen zu sehen, weil
nur hartes währen kann und man sie geheißen
hat, daß die ehre auf dem spiel steht und die sie-
benschlössige unschuld des weibes. Und einige
lassen das weib in einem abstand von sieben
schritten folgen, die teigwarenmamma, die aufgeblähte honigkuchenmutti, die ihre blößen

züchtig bedeckt zum wohlgefallen des mannes. Und sie sagen in schwachen momenten: sieben freuden kenne ich: freundlich gereichtes brot, lammfleisch, kühles wasser, weiche kleider, lieblichen duft, ein bequemes bett und den anblick dessen, was schön ist. Sie sind kinder einer fehlerhaften orthodoxie und sie leben ausgerechnet ohne rechte beteiligung, sie warten auf das mystische zeichen, das ihnen anzeigt, ihre zelte abzubrechen und heimzukehren. Auch dann würden sie, diese alten männer, ein gottseibeiuns murmeln und in schlimmen anzügen schlendern und über den tod grübeln, bis die warme mahlzeit sie heimtreibt.

Glück dauert halt nur ne Runde

Kücük Recai, 19, Junkie (hat sich soeben die
Nadel gegeben)

Es gibt kein o-komm-mir-not-lindern-gott, keinen blaßrosa himmel, keine blödwauwauende
bingo-bingo-engelsschar, keine schmerzpose,
die's trifft, hör mir verdammich zu, nix regen
und schnee, was pappt zum eisklumpen, was
man dollschmackes wirft, nix bäumeblätteräste
und so was, nix dach überm kopp, nix für-mutti-
überstunden, stechuhr, bummnapalm und's
schlitzohr geht zu boden unter ner feuertaufe-
wucht, nix nebel und gutwetter, kaffee und tee,
sonnern draußen man kämpfen, daß nen typ die
eichel scheuert, und schwert blankziehen und
feind matschmachen, und dafür klingklongor-
den kriegn, daß brust schwer wird, gibt nix's
zeugs wie ruhe habn oder eignes dach haben oder
armanijacke haben oder stille haben in sonem
oberpestigen rattenschißloch, wo man wasser-
ranz runterglibbert, und nixnazihausmeister verdammich, wenn der man nich die hölle knall
weghat, gibt nix wirklich guten stuhl, wo man
echt wahr dufte hocken kann, nix dufte möse
wie oberhonigbalsam, wo man, verdammich baden tut, schöntollbaden kann 'n macker, edle

sahne, man will ja, aber gibt nich ne möse für, nix freund zum schlendern oder bekannt, nur bekloppt sind die und beklauen tun die obendrein wie sau, 's gibt null talent, oder so richtig million haben, und kannst denn die hufe edel schwingen innem imbiß, wo's echtes beefsteakgutfleisch auf'm teller liegt, und mit suppe vornweg, und die suppe gibt's nich, in soner stadtundorfunüberhauptwelt gibt das nich, da platzt die bombe in die scheiße vonnem oberbekackten general, weil der man order gegeben, daß sie genauso und jetzt und nich später platzt, und alle sind baff und sagen ahhh und ohhh, und wie groß sind die höherhochflammen, wie verdammich rot scheißflammen, und bommbumm weg mit all den dächern, und schornsteine purzeln inner luft, ogottogott gibts diesen ganzen scheißkeks nich die bohne, wenn ich hier man sitz innem scheißelend, da gibts nen affen nich, die zieht echt man zum nächsten kumpan, der's nich hat, 's teure scheißschissige geld fürn oberteuern saft, und der kumpan tanzt mit'm affen, ne schöne scheiße, tanzt der doch glatt, der wohnt da man also nich weit weg, wissen alle, daß dem seine bleibe nah is, egal, mann, egal wie dung, nix gibts und nix kannst du schlecht innen mund schieben, als hättst du 'n süßriegel im maul, und die zunge dreht sich umsonst, weil's nix zu beißen gibt, wie das halt überübergestern schon war und überübermorgen, und denn danach wird's nich anders kommen, also's gibt null sendung inner glotze, matte scheiße, mann, matt da und matt dort, mann, im himmel wie auf erden,

nich mal zum türken reichts in der gottverschis-
senen gegend hier, obwohl ich'n blauen lappen
hab mit halbmond und stern. Aber ausweis is
lüge, 's gibt nicht'n ausweis, mich gibt's auch
nich, bin'n spuk, 'n elender spuk, nix stadtland-
fahne, furz der affe, aber hölle drauf, nix wasser-
strommiete, der hausmeister, der olle gottlos-
nazi, sperrt mich ein und sperrt mich aus, und
ich rühr mich eh selten, will nich frische luft,
also, mann, ich geh eh nich an die tür, verdamm-
mich, nix von wegen oberfickhausmeister, 'n oller prügler vorm herrn, wenn der's maul auf-
klappt, pult sich mir die pelle vom leib, dem
seine stimme is wie wenn 'n hund anfängt zu
blöken wie'n schaf, der hund is aber nich 'n
schaf, das gibt'n mulattenzeugs, nun ja, im zoo
war ich auch schon mal, da kriegen die futter und
haben sorgen nich, oder doch, mann, das mit ner
sorge, die echt unter häute fährt, is ne scheißsa-
che, das macht vorm ollen tier nich halt, das
auch mal klauen und n'scharfen zahn hat, nur is
die sorge wie gevatter tod und kriegt mensch-
undtierundpflanze, is'n oberreiner schlecht-
traum, ich hier kratz man ab, und kein schwein
macht was für mich, ich bin so'n einsamer jäger,
und was ich jag, is schon tot, mann, das hört sich
ja gut an, is wie'n paar takte aus'm neuen schla-
ger, das wollt ich werden, hörst du, das wollt ich
ehrlich mal werden, so'n gesungnes stück träl-
lern, wo's die laffen trifft im herzen, und die
rumpeln voll gefühl vom sitz auf'n boden, und
werfen mit slips, und ich wisch mir mit ne träne
vom augenrand und werf'n zurück, eben son ge-

plärrtersong, klappt aber nich, ich red doch hier nur'n müll zusammen, du bist eh zu blöd für, was so saft is, wenn der man in den adern gluckst, und du wirst denn selig wie ne eins, wo's nich mehr stottern gibt wie sonst im ollen leben, wie jetzt, mann, glück dauert halt nur ne runde, und denn marsch zum nächsten glück, wo saft fließt durch mich, mann, wie honig, aber s'is 'n ewiges verschwinden von mir hier drin auf ner scheiß matratze.

Die Beschmutzten kennen
keine Ästhetik

Memet, 29, Dichter

Wir pusten in ein langes, grobes ofenrohr. Wir verbrennen uns die hände an dem brühheißen blech, und unter der anstrengung, das gleichgewicht zu halten und mit diesem sinnlosen rohr, das man uns in die hände drückte, auf einem dünnen seil zu balancieren, brechen wir fast zusammen. Dunkel ahnen wir, wie absurd es ist, unsere puste zu verschwenden, weil sie, erst einmal aus dem mund und auf die lange reise geschickt, nie ans andere ende des rohrs gelangen wird. Es gibt sogar menschen, die erkennen, und trotzdem in dieses rohr hauchen, weil sie den atem loswerden wollen, in etwas investieren, das ihnen vorkommt wie ein archaischer kult. Nur so können die erkenntnisreichen weiterhin klare gedanken fassen, und die weisen unter ihnen wissen, daß vor allem die gesunden auf krücken gehen. Deshalb werden wir, die sterblichen, unseren atem durch diesen düsteren kanal hetzen, uns verbrennen an dem rohr, und die mühe auf uns nehmen. Die deserteure aber, die mutigeren, werden die luft in ihren lungen zusammennehmen, und ihre hände zurückreißen und die klarheit verlieren: man wird sie hören, den singsang von irren draußen in der nacht. Das, was ich sage, mag dir verschroben, wenn nicht aberwitzig erscheinen, aber der tumult auf den straßen hat etwas damit zu tun, daß die halbstarken mit gewalt die verheißung suchen, jemanden, der ihnen sagt, daß sie eine weile in ihre elenden schlupflöcher zurückkehren, dort ausharren, bis es an der zeit ist, daß sich das versprechen erfüllt. Die jungs streunen durch die stadt, sie rotten sich zusammen, weil sie große teile des tages einsam sind. Im rudel findet man früher oder später zu einem kodex, in der gang erhält man die feuertaufe, und mit dem neugewonnenen sinn im leib gehen sie in kleinen scharen auf die suche. Das geld ist eine sorge, das outfit nicht minder. Sie gehen es sich beschaffen mit der willkür von söldnern. Die meute, nur der enge kreis der brüder, zählt. Die jungs sind klumpen aus adrenalin. Sie wollen es ohne vertröstung auf bessere zeiten wissen. Sie holen sich das zeug. Sie sind das wahre lumpenproletariat: häßlich, voller haß, niedrig und voller affekte. Sie versuchen sich in der alchemie: fleisch zu stahl, und keinen gedanken verschwenden daran, was morgen wird. Wie alle gewaltträchtigen, wie alles, das sich nicht so richtig vorsehen will, ersticken sie an der falschen kraft, die sie erschaffen hat und die sie angenommen haben. Sie sind menschenmüll, eine verschwendung in den straßen der metropolen, sie haben das spiel verloren, weil die karten gezinkt sind, die man ihnen in die hand drückt. Deshalb sind sie kanaken, deshalb bin ich ein kanake, deshalb bist du ein kanake. Wir sind bastarde, freund, das heißt, daß wir gedanken und empfindungen haben, für die wir nichts können, sowas wie ausgeknobelte kreaturen ohne sinn und rechtem verstand, die gerne eine gebrauchsanweisung hätten, oder einen heiligen katechismus, um dieses dumpfe brüten, das uns beherrscht, abzuschütteln. Ein bastard ist ein bündel aus irrationalismen, er hat eine abseitige mystik, die ihn zutiefst beunruhigt, er sieht zeichen und wunder, wo keine sind, weil er sich stets auf fremdem terrain bewegt. Man sagt dem bastard, er fühle sich unwohl, weil zwei seelen bzw. zwei kulturen in ihm wohnen. Das ist eine lüge. Man will dem bastard einreden, er müsse sich nur für eine einzige seele entscheiden, als ginge es um einen technischen handgriff, damit die räder sich verzahnen, als sei seine psyche ein lahmgelegter betrieb. Der bastard braucht keine politur, er verpaßt sich schon selbst mehrere schichten lack, damit er nicht auffällt wie ein gescheckter hund. Der kanake ist so etwas wie ein synthetisches produkt, das sich und die fabrik haßt, in dem es gefertigt wurde. Er hat instinkte, die die einheimischen nicht haben, er versteht es, auf den ersten blick, das heißt schnell und ohne großen aufwand, die lage zu sondieren, er hat den blick für das, was sich hinter den kulissen abspielt. Er erkennt zwar die essenz, aber ihm ist es nicht gegeben, eine halbwegs solide existenz aufzubauen. Er ist darauf dressiert, zum kern vorzustoßen, deshalb verschmäht er die hülle. Also ist der kanake zugleich ein fundamentalist. Jeder unserer jungs steht für eine miniphilosophie, in der alle gegenstände aufgeräumt sind und ihren platz haben. Genau das gegenteil dessen, was sie wirklich sind, nämlich knechte einer allgegenwärtigen bedeutungslosigkeit. Der bastard verflucht den beischlaf, aus dem er hervorgegangen ist, und das klima, in dem er lebt. Er ist ein gezwungener, deshalb will er niederzwingen. Ganz schlimm trifft es unsere frauen. Für die schweinereien, die man ihnen antut, die bastarde wie wir ihnen antun, finde ich keine worte. Wo du hinsiehst freund, ein einziges trauerspiel, keine saat geht so behende auf wie die saat der gewalt. Ich habe nicht die geringste ahnung, was aus uns wird, ich kann mir auch nicht vorstellen, daß jemand aus dieser misere schlau wird. Mein vater kam aus irgendeinem kaff da unten, er kam, um ein kleines vermögen hier anzuschuften, und mit dem geld wollte er im dorf ein mehrstöckiges haus bauen lassen. Er hat von nichts anderem als diesem verdammten haus geredet, und von der endgültigen rückkehr. Er war bieder und ein kleingeist, und ich weiß noch, wie er den gekochten knochen auf die unterlippe legte und das mark ausschlürfte. Ich empfand nichts als ekel, widerwillen gegen einen mann, der sich die seele aus dem leib schuftet für den billigen traum eines kleinbürgers, und der keine eßmanieren hat. Er war bauer, roch aus dem mund und trug dieses käppi, als ginge er schafe hüten. Er hat es mir nie verziehen, daß aus mir kein akademiker geworden ist. In seinen augen war ich so etwas wie ein asozialer, der weibische gedichte schrieb und sein leben wegwarf. Er war ein altmodischer vater und ich war sein altmodischer sohn, deshalb kamen wir nie ins gespräch. So etwas spielt sich in vielen türkischen familien ab, man nennt es hier den generationskonflikt. Es ist mehr als das. Es ist metamorphose. Die alten werden zerdrückt und die jungen tun sich gewalt an, zum einen, um so zu sein wie die eingeborenen, zum anderen, um sich zu bewahren in diesem tollhaus. Das alter spielt in diesem zusammenhang keine rolle. Es geht um unserer aller unfreiwillige verpuppung, die realität ist die harte kapsel, in der wir ausharren, wir sind gehalten zu glauben, am ende würden uns flügel wachsen, und wir könnten aus der feuchten enge schlüpfen, uns ins freie drängen. Was wir erfahren, ist eine verordnete wartezeit, wir regen uns nicht, aus angst, unserer zukünftigen anatomie zu schaden. Wir sehen schon gespenster aus lauter angst. Die angst vor der anomalie treibt die alten in den starrsinn und die jungen in die epilepsie. Die alten haben sich in ein fatum ergeben, das sie in versen und überlieferungen entdeckt zu haben glauben, sie beugen ihre verrunzelten kleinen geierköpfe über die alte schrift, denn die bedrängte kreatur sucht das finale und plausible wort, die letztendliche weissagung, in einer wurzel, die nicht die ihre ist. Ich sehe sie niederknien vor einem gott, der immerfort in der wüste sprach. Ich weiß, daß sie diesen ihren gott bitternötig haben, sonst würden sie zerbröckeln wie starre salzsäulen, die man einfach umwirft.

Sie haben, getäuscht und abermals getäuscht, eine fremde, aber komischerweise naheliegende version verdient. Man soll sie in ruhe lassen. Die jungen dagegen fuchteln mit zu langen gliedern, sie wissen nicht wohin mit der überschüssigen energie und manch einer führt eine stahlklinge mit, das zeichen komprimierter gewalt. Wir stehen in dem ruf, messerstecher zu sein, mannskerle, die das problem auf ihre art zu lösen verstehen. Dabei sind wir bloß besessen von der idee, besser zu sein als der eingeborene, der uns sehr früh einbleut, daß nur besonders schöne, besonders tüchtige oder besonders intelligente kanaken die zielgerade erreichen. Wir haben die botschaft gefressen und befolgen sie wie die letzten preußen. *Einigermaßen passabel* oder *ausreichend* oder *nicht schlecht* gibt es nicht in unserem vokabular. Wir wollen uns mit den insignien der blonden übermenschen schmücken. Unser eigener schlechter geschmack kommt uns in die quere und das uns eingeflößte gefühl, daß wir minderwertig sind. Deshalb färben sich viele kümmelmammas ihr haar blond und tragen unsere pop-starletts blaue oder grüne kontaktlinsen. Deshalb giert das turcokid nach einem daimler. Deshalb sticht mancher kümmel zu: er will hart sein wie kruppstahl und aussehen wie ein provinzpopper. Den wechsel vom ackerland zum fließband haben wir nicht verdaut. So lange man von uns meisterleistungen erwartet, werden wir uns wie knechte verhalten. Solange dieses land uns den wirklichen eintritt verwehrt, werden wir die anomalien und perversionen dieses landes wie ein schwamm aufsaugen und den dreck ausspucken. Die beschmutzten kennen keine ästhetik.

So viel Scheiße, wie's gibt, kann die Erde nischt fressen

Rahman, 24, »Flohmarktdisco«

Glaub ja nischt, daß sowas 'n wert hat, aber von mir aus kannst ja hörn, was abgeht hier bei mir. Seit'n paar jahren kreuz ich hier im laden auf, das geht klar, stimmt auch die mucke, und die kumpel reißen den abend ab, wo sie nischt haben, was sie abhält, arbeit und so, mein ich. Is klar, ne piekfeine schicht mit von morgens bis abends mein ich, und die schule is scheiße, mit deren ihr abgang reißt sich kein bonze nischt um sie, die holen's klima, was im schuppen herrscht, wenn man 'n stück kraft schnappen will und zu haus ist's rauh, dann taucht man halt ab, wo andre hänger eben was mischen und ne gang sind. Gang is nischt so ne krimibande, räuber und so is nischt, halt denken doch alle, wenn wir vor der tür mal eben im freien sind: ne runde kümmel, und einer geht über die straße und holt 'n paar dosen zischbier, und wir vertreten die ollen beine, so läuft das bei mir. Es sind paar heiße jungs, die schaun schlimm bös, und die wollen, daß man sie reizt, aber in ordnung sind die, klar, wenn die prols 'n lauten machen, kriegen unsre jungs 'n kick, das kommt so über sie wie ne olle fransige decke, was wir nischt haben, holen wir uns, wo die doch im eimer sind, mann, und die kraft, die sie über haben, werden die doch nimmer los und nehmen können die's auch nischt wie's kommt, da denkt doch jemand mit'm markigen puls, was steh ich rum ohne, daß was abgeht, wenn nischt is, klar, nischt, was die mal den kopp gegenballern, was die mahlen mit'm kiefer zu mehl, dies nischt is'n deibel und der wirft die haken aus, daß se man tüchtig verfangen und das, bruder, reißt die lappen weg, verstehste, deinen ollen kram, was du in dir hast und nischt in die tonne kloppst, wär ja weg vom deibel sein haken geluchst. Die jungs straffen denn da ne schnur und dort ne schnur und sagen: is mein revier, schöne gute erde, und wer da'n fuß setzt, kippt gleich man um zur übung, daß er weiß, wer da die herde hüten tut und herr is über'n hieb. Bruder, unsre paar protze sind in ner miesen materie, und die haben 'n band um'n schwarzen hals, wo du man führen kannst, weil ne leine is was für die lausigen tölen, wo die deutschen in'n park zerren, und scheißen tun die viecher mächtige brezeln da voll auf's gras und stecken's blöde maul in'n matsch, das is ja hier ganz doll kacke, muß ich wohl sagen, so viel scheiße, wie's gibt, kann die erde nischt fressen. Tja, bruder, 's rätsel liegt unter sieben knoten, und wer's man hochhieven will, gibt nach nem knoten auf, is halt schwer zu gründen, wie man's löst und was'n fehler is. Kriegst'n ratsch im kopp vom vielen brüten und latschst als hirni, der da denkt, daß jeder übel will und alles wild is, die protzer wollen olles gold um's gelenk, mit'm anständigen haarschnitt und schneidgen klamotten herrlich im edelblech lungern, und die tussi, daß jedem macker die hose aufplatzt, aber du bis der king, der mit der ollen poppt, und in'n ausschnitt langen, daß die sonne aufgeht, bruder, das is macht, ne verfickte macht, wo in dir steckt und um dich is, und die kerls haben respekt, wo dich zur größe macht, du bis wie'n marmorgott inner halle, da kann dir der olle pöbel nischt anhaben, du bist viel zu viel fern und richtig gemacht.

Bruder, das meiste, was ich sehe, is, als hätt man die birne rausgedreht, und was vorher so voll hell war, daß man wußte: da is die matte, wo ich mich hinhau, und da von mir aus der olle pißpott, und wieder da is ne scheibe brot, also, als wär ne fiese hand an'n schalter gegangen, und die prima helle schose is futsch. Sie is halt da, nur du tappst wie blinde nuß durchs enge blöde zimmer und knallst da rum, weil da nur kanten sind, wo dich am fleisch schrammen. Is ne spezisicht von mir, daß's blind und immer blinder zugeht, aber so, klar, sieht's eben aus: alle welt knallt mit ner ecke und weil's nischt hell abgeht, gibt's zunder im kaff. Die alemannen knallen nischt, die kriegen's als kleingören mit, wo sie in ne windel scheißen, daß sie man schön einfach nischt sich von der stelle rührn, bis es hell wird. Die alemannen stellen's gescheit an, das gibt nischt so üble wunden wie bei uns, wo wir wie ne meschuggene meute gegen's scharfe ballern und brüllen wie am spieß. Und die alemannen den-

117

ken doch: mann, die kümmel machen hier voll den terz um nischt, das is'n gottverficktes rudel, und die haben 'n sprung, denken die, zocken unsre tussis, die kümmels mit gold und lametta und scheiß haarheckspoiler. Aber, bruder, ich schließ nischt mit'm pack frieden, der friede kann mich am arsch. Ich sag dir: ich komm her alle abende des herrn, schütt mir das tote gelbe wasser rein, pur, so hundertpro, daß mir bei gott der hals anschwillt, und wenn ich denn ganz knorrig werd vom vielen gesöff, träum ich ne urlange zeitlang vom starken abgang und so, mann, ich würd wohl gern mitten drin abkacken, dies üble siechen, wo dich wie'n krüppel stehen läßt und sich an'n knochen reibt, da loost du aber fett ab, mein lieber, das dreht dir die puste ab wie'n wasserkran oder so. Oder ich lunger zu haus rum, mußt wissen, daß ich ne rote sitzpille hab von wegen sperrmüll, und da hock ich eule drin und glotz und glotz ne urlange zeitlang, und wie aus'm stand macht's peng und ich hab'n gottgeschickten schiß. Schiß is aller kanaken lehrer, aller protze lehrer und aller welt. Nischt schiß vor nem ollen macker, den kriegt man ja mit'm kracher ins maul umgefällt, halt, was ich mein, is so'n scheißgrausen, das tief drinsteckt und hochschießt wie kotter. Da haun die tarife längst nimmer hin, dir kommt's vor, als wärst du'n fraß oder eher schon stinkiger abfall oder so ne blechdose, wo man wegkickt, und's scheppert wie krawall. Schlimm is, daß die alemannen dich nischt für ne müde mark sehn, du bist gar nischt da, du kannst da antippen und sagen: mann, mich gibt's schon seit ner urlangen zeit, faß man an, daß du merkst, da is fleisch und knochen, für die biste gar nischt, luft und weniger als schnuppe luft, du hast eben kein sektor, wo man dich ordnen könnt, das sieht denn aus, wie wenn ne olle leiche rumliegt, und die machen mit nem stück kreide nen umriß. Im umriß is denn nix wenn se'n kadaver wegtragen, da siehste 'n strichmänneken aus teppich.

Wenn ich durch die gegend latsch, is das kein vergnügen, alle paar meter zu merken: mann, hat denn keiner 'n gruß übrig, nischt daß ich'n penner bin und betteln tu, nur's krause haar macht mich zum modderfisch. Hier gibt's nischt die bohne gnade, mann, nischt die spur, wer frißt, hat'n bauch und satt, und kein schwein fragt, was der olle hund denn geschlungen hat, ob's rechtens war, gnade, mann, gnade, das is verfickt noch mal, was den ganzen zirkus erhält. Wenn ich nischt nem penner die pulle spendier, wo er nötig hat, weil er's nischt ums verrecken aushält und kein sektor hat, bin ich doch nur'n kackei, und daß die armen die kralle aufhalten für'n paar märker is nischt, weil sie's gern tun, nee, bruder, das is, weil der bonze is doch der wahre penner, weil der schissig, wie er is, nischt ne olle nasenspitze gnade im leib hat. Die alten sagen: gehste abends mit'm reichen ins bett, wachste morgens mit krätze auf, und, mann, wo se recht haben, haben se recht. Mußt sehn, das war in urzeiten auch so: wer raubte, wurde reich, und wer reich is, hat gnade nischt, merk dir das, mann, und halt dich von so nem gesindel bloß man fern. Das pack wird zur guten sitte nischt finden, bisse in'n holz geschmissen in irgendner spalte verschwinden. Wenn ich so sprech, denken die, ich will ihr geld, nee, tu ich nischt, das können se in'n arsch stopfen, weil ich, mann, so wie ich steh, bleib clean, weißt , bleib im sektor, wo's mir gehört und 'n bißchen was abspringt für's ausgehn oder schnaps oder kippen halt. Is ja so falsch nischt. Daß jemand man abspannen mag und in ruh gelassen und fast nix sich rührt, nischt mal'n mäusepiep, so ne art eigne bude, daß der olle vatter draußen bleibt, das stört schon, mucke kannste nischt aufdrehn, ne tussi nischt mucksgeheim nach haus schleppen, wird doch peinlich, wenn du ständig sagst: mir die ollen meckern was's zeug hält, lieber zu dir, auf die dauer isses ne strapaze und macht dich mürbe. Hätt ich schotter auf der hohen kante, würd ich erstallererst ne piekfeine bude anschaffen, und das wär auch man was gegen den kackschiß, so leben halt wie graf koks, ohne protz halt, so piekfein wie sich's für'n scheißkanaken gehört. Aber nee, ich hock immer noch blank und pleite am tresen, schütt mir's tote gelbe wasser in'n rachen, wo nur scherereien bringt, bin ne kleine nummer, und so mickrige nummern, die latschen tag um tag durch'n wald und knallen gegen die stämme und wundern sich, daß se immer einen auf die mütze kriegen, is vielleicht ne sache von chemie, was jemand hat oder daß man beizeiten rüstig is und sich nischt verpulvert, s'magazin mein ich. Stramm durch'n urwald tappern, augen zu und feste druff, is doch so, daß alle welt für sich spart und aufhebt, war auch immer so, damit du man als sabbergreis, wenn's leben noch reicht, die klauen in'n schoß betten kannst. Scheiß die wand an, den sektor mußt du dir lang und breit peilen, so'n tauglicher arg würdiger sektor, den man sich wohl gönnen könnt, und den ollen salat mit den gefühlen mal gut stauen. Bruder, das is wohl 'n behagen, weil, siehst, man dienert und kriecht, um andre ins bild zu setzen, und sabbelt, weil die müssen ja wissen, daß du ureigne tarife hast, wo nur auf deinem mist wachsen, so ne fatale müh, den ganzen humbug fifty-fifty hinzubiegen, und ne plage is ne plage, ich möcht doch bittschön nischt die olle mischpoke am hals haben, denn die meisten gehn ja so auf'n senkel, daß dir schwarz wird vom ganzen demzuliebe und dortzuliebe und jedemzuliebe, schert mich'n dreck, ob'n milchbubi schwer beschwerde hat oder nicht, oder ne winselstute kommt und leiert dir ihren kack von wegen sensibel und welt-so-schlecht, die alemannen, bruder, das geb ich auch mal mit, haben nullkommanull stil, und vom stil is'n schritt zum respekt, und respekt, den se vor dir haben, macht dich zu nem doll fernen, an den sie nicht rankönnen, also muß man ja wohl nen supereignen sektor entwickeln mit'm schild, auf dem in alarmrot steht: zugang nischt, weil stil. Stil is'n hammer, mit dem kannst du nacken sprengen und zeigen, was ne kümmelharke is. Unsre protze sind 'n bißchen kurzgekommene, die sind beim pack inne schule gegangen und meinen, ne coole nummer abziehn, und ich hab ne olle trophäe in der klaue, was rundum verkehrt is, rein falsch und für nix zu gebrauchen, 'n kanake is hier und das pack dort, das is mein reden, ich hab höllisch den kopp heißgegründelt, und das sag ich auch den kumpels, wenn wir mal am tresen keimen, ich sag: brüder, laßt man schön das anecken, bringt nix außer schlamassel und ihr freßt denn ne handvoll saftige scheiße und schlittert mit der brühe im maul in'n feld aus blauem dunst, und eh ihr euch verseht, hat die gute alte gosse euch wieder, nur, daß ihr denn recht abgemurkst und hölle zerschunden auf'm pflaster liegt mit nix außer wehen knochen. In so was hab ich das zweite gesicht, mir schwant's lang davor, ob'n typ vom pfad des lungerns schlittert in so ne öde, wo er's nischt mehr hinbiegt, wo er nur ne hundenummer is mit'm bleichen gevatter auf den fersen. Viele brüder sind tot, mann, du siehst die zwar auf den haxen stehen, aber das is nix als oller reflex, die haben die ewige nadel in der armbeuge, und verpassen sich'n saft, wo sie schön kaltstellt in nem verkackten sektor, nur der sektor is nischt außer 'n paar billigen nuttenträumen, und denn biste auf und tot. Die message is, daß's null message gibt, aber meinste, daß es gefällig wär wie'n verkackter yuppie bieder und blöd zu tun, nee, unsre jungs sind wie olle schneemännekens und schmelzen weg wie nix gutes, und am ende haben sie für'n schiß gelebt.

122

Nimm den Sonntag

Tarkan, 28, Müllkutscher

Nimm den sonntag, nimm all die schmierigen zombietoten und einfach und durch und durch beknackten sonntage, ein einziger tag in der woche, und man könnte doch meinen, daß das schon in ordnung geht, wenn eins von sieben eben grütze is und nix taugt, man is aber doch'n allroundmänneken mit vollen guten herrgottssiebentagen, die man mit guter macht ausschöpfen kann, nur da is der olle teutsche sonntag vor und vermasselt dir eitel sonnenschein. Wenn ich den ollen bimbam hör, was da dir'n privaten himmel stark bewölkt, s'geläut wie so'n fetter becher, aus dem der verdammte sirup tropft und dir's hirn dumm verklebt, werd ich'n haßbimbo, der mit'm karabiner die kackglocke runterballert, so'n richtiger muselman werd ich, obwohl mir die bärtigen auf die eier gehn, die mit ihrem rosenkranzschnickschnack und arsch hochrecken, weil's nem jechova günstig scheint, aber das behalt ich man schön für mich. Nimm den sonntag, wo du ne laus trippeln hörst, wo du hier im park das blöde gefieder schnattern hörst, und dann zieht sich das teutschvolk schnieke an, um mal mit'm lahmen zahn durch die city zu tattern, die ziehn denn unterwegs ne waffel und lutschen dran wie an nem schwanz, und die blagen schwärmen wie'n haufen scheiße, und lauter hans und brittas mit'm sauberen scheitel. Sonntags krieg ich'n hölleneifer, weil's stillstehn so ödet und brennt, daß amok kein wort für is, was so man in mir tobt, mann, ich würd'n arsch hergeben für'n blickfang, was gut was laune machen würd, von mir aus ne zerrupfte krähe oder'n verrücktes phänomen mit'm konfettiregen, ich denk jeden gottverdammten sonntag, daß ich ein für allemal volle granata abloos, ich ertapp mich, daß ich rumschleich mit'm hunger nach sensation oder ner ladung herzergreifen, kannst du vergessen freund, der brave pappi schiebt'n riegel vor sein olle tür, um sich nach neun in die federn zu schmeißen und gibt noch mami 'n zagen kuß auf die backe. Ich halt mich nicht unbedingt fürn feger, aber die ruh, was so in ner gruft herrscht, jagt mir'n horror ein, und ich hab den horror hier in deutschland, sonntags, wenn alles pennt und wie blei schwer is, das bricht dir schon das herz.

Ich bin bei der müllabfuhr, also'n richtiger müllkümmel, der sonst mit ollen instinkten in der gegend rumstochert und zwei paar anzüge rotten bei mir im schrank, 'n eigenen herd hab ich auch, 'n verkackten teppich und ne gardine, damit die unbefugten man nicht mir nicht in'n haushalt stieren, und den schlüssel für'n verschlag führ ich tag für tag schön in der weiten tasche. Also so was wie'n gemachter mann wirst du sagen, dafür fehlt aber noch ne schöne ecke moneten, daß ich meinen könnt, junge du bist ehrlich aus'm schneider, sparen tu ich nicht über gebühr, da kenn ich noch andre macker, die haben mauldampf, weil sie sich alles vom munde abdarben, was nützt mir schotter auf der hohen kante, wenn ich nicht mir leisten tu, was's herz begehrt, und da is schon orntlich viel, kann ich dir sagen, ich hab so meine macken, und ich brauch, was'n mann braucht, also ich geb auch einiges aus für ne geschmeidige nutte, bei der ich schon seit ewigkeiten guter kunde bin, die heißt rosa und hat werbung null nötig, die tut'n gutes werk, ihr roter mund is perfekte funktion, ich mein, leute halten's für schweinkram, aber, mann, liebe is'n oberteures scheißpflaster, an ne normale tussi kommst du so leicht nicht ran, als kümmel von der müllfraktion hast du gleich verschissen, die machen da'n bogen um dich, als würdest du fischig ranzen, also sag ich mir, das kann ich doch leichter haben, rosa hat'n adäquates gewerbe, da is singsang nicht vonnöten, kein ewiges schleichen und zucker husten, damit die tussi endlich sich'n ruck gibt, ich leg'n schein da auf'n tisch und denn auf gehts zur prächtigen übung. Wenn's vorbei is, ist's vorbei, und wir paffen ne runde, und sie tratscht über all die freier, und was das alles für mürbe typen sind darunter, und daß sie ein paar verdreschen muß. Weil die macker so'n harten kriegen und anders nicht, ulkige geschichten tischt sie auf, und man wünscht sich denn'n gutverdienen und geht seiner wege. Also die rosa is schon ne feste größe, auch wenn ich klar wünsch, ne schnieke normalolady zu haben, bei der ich immer landen kann, und die das nicht wegen's geschäft abwickelt, aber die tarife, bruder, sind'n stück zu stürmisch für'n pennerknochen wie mich, der gott immer um ne runde ordnung anfleht, und daß mein kram nicht wie krähensaat rumliegt, um ne runde überblick heul ich den ollen himmelsonkel schon mal an, ich hätt halt gern mehr links und rechts und oben und unten. Wie's auch bestellt ist, bruder, rosa ist schon nicht nur fast ne blaskapelle, aber auch'n bißchen kissen, für ne halbe stunde bett ich mich gern darin.

Die Materie züchtigt mich

Tolga, 29, asylsuchender Revolutionär

Was, wenn nicht ich es bin, der dies wippen und wappen des lauts hört, des einen und einzigen lauts, der hörbar nah, und wenn man nicht wollte hören, zwinglich fern, wenn dies bild- und bilderfunkeln, dies klumpfüßig auf- und abgehen des bürgersteigs, dies fallen von allerlei gefieders von den stadtmasten, den stadt-fensterbrettern, dies rutschen von dachfirsten, von himmelhohen fassaden, was ist, wenn dies runterscheppern von krimskrams nicht von mir gesehen wird, was, wenn die sachen passieren, wie sie eben passieren, und keinen nötig haben, der sie sieht und begreift, und was, wenn ich mir meine augen einfach einbilde, etwa aus spaß? Was, wenn ein unsichtbarer seine vielen arme streckt und dehnt und dabei losläßt, und dann entsteht der freie fall der vögel, des regens, der hagelschauer, der blätter, und der vielen verschiedenen dinge, und ich, der ich nach oben blicke, sehe das stürmische runterkrachen, als die kraft, die, was oben ist, nach unten reißt und nicht eher aufhört zu zerren, bis meinetwegen eine angeschossene stadtkrähe sich ergibt und runterplumpst? Die fragerei kommt daher, daß man von einem feind geneppt wird, der stellt die fragen und löst das elende grübeln aus, und es wird einem vom vielen verstehenwollen ganz schwarz vor den augen. Ich denke, daß es dieser schwindel ist, der einen dahinrafft, ich glaube, daß eben dieser schwindel einen altern läßt, ohne, daß man es wirklich nötig hätte zu altern. Die materie züchtigt mich, sie hat mich in dieses dunkle und elende exilloch gepfeffert, wo ich mich jeden tag ins fleisch kneifen muß, um sicherzugehen, daß es unterm strich eine hölle zwar, aber eine konkrete hölle ist, wo ich abends den lichtschalter umlege, um helle vom dämmer zu scheiden. Im nachhinein kann ich das geschehene kurz und bündig so wiedergeben: ich habe gegen die bourgeoisie gekämpft im eigenen land und floh in ein anderes, wo es eine fettere ausgabe derselben gibt, und die ich anbettele, mich aufzunehmen. Also ein ziemlicher witz. Im grunde lebe ich nach einer altmodischen überzeugung, nach der jeder einzelne sich fragen muß, wo er steht und mit welcher macht er paktiert. Und der kampf ist so etwas wie ein reinigendes feuer, ich meine, diese ganze schose mit dem rattenschwanz von märtyrern, die im grunde unter der sengenden hitze anatoliens oder bei einer bullenrazia den finalen schuß gekriegt haben und einfach verreckt sind, diese schose von wegen beißt die zähne zusammen und kämpft für die gute sache, und du siehst deine genossen wegschmelzen und kaust an dem glaubenssatz, daß es schon gut ausgehen wird, was das auch immer heißen mag, und irgendwie entstellt dich diese maßlose anstrengung. Sie macht aus dir eine nippesfigur, ein sentimentales monstrum mit schlechten und abgelegt geglaubten gefühlsüberhängen, einen kretin im inferno der geldbeschaffung, sie liefert dir dutzende erkenntnisse und tausend lügen hinterher, bis du nur noch auf die einzige plumpe überlegung reduziert bist, nämlich weiter- oder schlappmachen. Ich bin mit fast dreißig jahren schon ein einfältiger alter veteran, und in meinem kopf wimmelt es von schnappschüssen vergangener tage, ich lasse es zu, daß der sturm einstiger wahrer handlungen in mir tobt, und, als gebe es kein tätiges heute, meutert mein körper gegen das diktum der bewegung. So bin ich ein gespaltener, ein holzschnittspuk, das massive frontschwein im spital zur letzten frohen erregung. Die schizophrenie geht sehr weit. Ich ertappe mich dabei, wie ich mich langsam der abstraktion ergebe, und, wie ich glaube, daß die gesagten wie ungesagten worte, die gelebten wie die ungelebten bilder in den schlund einer metapher poltern, einem großen hunger der natur, aus der ich meine eigene natur beziehen kann. Die gleichnisse umgeben mich, und ich kann sie fassen wie einen tonkrug oder das fleisch schwarzer oliven. Vor ein paar tagen kam ein film im fernsehen, er hieß: der killer lauert im ring, es fiel mir nicht schwer, den titel zu merken, weil ich längst dazu übergegangen bin, großen nutzen darin zu sehen, geschehenes und geschehnisse in den billigen plastikeimer der deutungen zu

schütten. Abends befällt mich in meinem ob-
dach ein rasender überdruß, und schon blinkt es
in großen neonlettern: hiob und die versuchun-
gen und die plagen des herrn. Zuweilen werde
ich zu einer geselligen runde eingeladen, mitten
in der unterhaltung stockt der motor, und ich
denke: der poltrige revolutionär in byzanz. Ich
trage die übelkeit mit mir herum, sie ist eine art
organgefühl. Oder ich sitze hinter der lausigen
gardine, draußen lärmen die kinder, und mir fällt
ein anderer film ein: das jahr, in dem wir kontakt
aufnahmen. Ich lasse den blick durchs zimmer
streifen, mein ehemaliger schulungsleiter wäre
stolz auf mich gewesen, denn ich besitze fast gar
nichts, es ist vielmehr so, daß das mobiliar aus
dauerleihgaben besteht: hemden, zwei hosen,
zwei pullover, zwei schuhe, bundeswehrparka,
ein fremdenlegionsbarrett, und für die eitelkeit
ein kamm, eine naßrasurgarnitur, das kapital
von marx, ein buch, das mir heute noch ein
schleier ist. Der schulungsleiter wurde irgendwann geschnappt und sie haben ihn dann im
morgengrauen gehängt. Er sagte solche sachen
wie: eure erste revolutionäre übung besteht
darin, daß ihr kapiert, wie gut ihr es haben könn-
tet, wenn ihr in diesem scheißspiel des staates
mitmischt. Eure zweite, daß ihr anfangt, keine
lust darauf zu haben. Das problem besteht darin,
daß wir immer auf der verliererseite stehen. Sie
kriegen uns fast immer, sie machen mit uns, was
sie wollen, und es scheint, als spielten sie
schicksal für uns, und sie lassen nicht eher
locker, bis wir durchdrehen oder in irgendeinem

verschissenen kugelhagel verrecken. Sie kotzen uns einfach aus, und wir müssen uns denn mit unserer elenden deformation herumplagen. Für mich ist es schier unmöglich, wieder von vorne anzufangen. Irgendwann war auch ich dran, sie haben mich nicht etwa verhört oder so etwas, sie haben mich in eine kleine eiskalte und nasse zelle gesteckt, nach vier tagen siechtum ließen sie vier kriminelle hinein, und sie hatten nichts besseres zu tun, als mich in den arsch zu ficken. So einfach ist es, einem rebellen das licht auszuknipsen. Seitdem kriege ich keinen hoch, und schon wieder ein bild: der revolutionär und sein schlapper schwanz, was für ein blöder witz. Mich packt die wut, wenn ich daran denke, in was für höllen sie uns gestoßen haben. Unsere kampfzelle bestand aus sieben genossen, und ich kann dir sagen, was aus uns geworden ist: zwei wurden hingerichtet, eine genossin bei einer razzia erschossen, der vierte schoß sich selbst in den mund, daß seine eigene mutter ihn wahrscheinlich nicht wiedererkannt hat, von einem anderen fehlt jede spur, der sechste pißt nachts ins bett vor lauter angst, sie könnten ihn abholen kommen, und ich, der letzte im bunde, laufe kaputt und in den arsch gefickt und mit dreißig in der gegend herum. Das ist schon eine filmreife leistung: das verschwinden der revolution anhand von fallbeispielen. Am ende seiner miesen karriere hockt der revolutionär wie der letzte wichser hinterm fenster, und hofft im geheimen den phänomenen auf den grund gehen zu können. Und noch eins kannst du denen da draußen verraten: mein eigenes spundloch ist mir zum feind geworden, und ausgerechnet beim scheißen packt mich der panische anfall, es könnte wieder einer daherkommen und mir wieder was reinstecken. Ich habe wohl voll den psychoknacks abbekommen, daran gibts nichts zu deuteln. Ich träume von der klebrig-kitschigen gebärde, vom grandiosen befreiungsschlag, doch daß die menschen irgendwann einmal ruhe einkehren lassen in dieses gottverdammte tollhaus, ist bei aller revolution und allem glauben, der da kommen mag über uns, genauso ein dreck wie mein wunder arsch.

Der Partisan will anner heiklen Grenze stehn

Ulku, 28, arbeitslos

Der partisan steht man jetzt im regen, sein weites terrain hat er in so ner dämlichen stunde freigegeben, und da krückt er also man rum wie'n sägiger stenz, und schiebt wache vor ner nullwichtigen ruine, und wartet auf'n feind, oder, viel besser, auf ne fatale kriegserklärung vonnem ollen russen, der's hinterland mit bombe und gas schlimm bedrohen soll, der partisan will anner heiklen grenze stehn als ganzer mannskerl und irgendnen busch scharf ins visier nehmen, und alle ladung beim kleinsten blätterzittern abpulvern, weil so ne arschkrückenhandlung atmosphäre und dienstpflicht hergibt, und dann erst kann sich'n partisan sinnvoll vorkommen. Ich hab's voll verstanden, was hier alle welt verbiestern läßt: der friede schafft zivilisten, der krieg sorgt für orntlich action, und auch der letzte schwabbelhanso kriegt knitterfeste nerven verpaßt, und weiß, wofür sich abmorden lohnt, und also, bruder, lechzt hier jeder nach sicherung mit gewalt, nach dem feisten diktator oben als zuchtorgan und oberster lenker vonnem kapostaat, wo jeder jeden verpfeift, wo man auf kommando s'bajonett aufpflanzt und brüllend abschaum murksen tut, auf kommando ficken, auf kommando fressen, auf kommando scheißen und denn alles wieder von vorn. Nix ist gefährlicher als'n freier, der's freie hassen tut, und der alemanne verreckt fast annem zustand, wo er ohne krieg auskommen muß, s'geht für seinen geschmack zu unmörderisch zu, er möchte denn doch lieber vor angst in die windel pissen, statt durch die klappen zu streichen als kleckerficker, du blickst denn auch durch, wenn sone olle schrippe in hippiklotten dir sagt, mensch, ich weiß irgendwie nicht, was mit mir ist, und du weißt, die hat rüsche und spitze inner garderobe, aber verhalten tut sie sich wie'n bengeliger macker, der ne salve abfeuern möchte auf nen feind, der klar und deutlich vor ihm steht, aber statt zuzugeben, daß sie man vonner anonymen freiheit die schnute voll hat, klagt die als zapfenplombierte fose über mösenbluten und koppdröhnen und daß ihr man echt der kick fehlt, dabei will die man karriere machen als soldatenmetze, und so ist von frau wie mann in alemania 's zauberwort: 's muß was passieren. Was passiert ist kriegshandlung zwischen zivilisten, und ne propaganda läuft auf touren, wo die man einreden tut, daß willkür heilig ist, und in all den verfluchten deutschen zauselköppen wirrt die krise als ne sonderleistung, ohne krise stehst du da wie ne niete in ner misere, und die sagen dir auch, mann, wie sich sone krise einstellen tut: sprich nie von liebe, nimm nen sexpartner, laß dich ausschlürfen und anner futwarze lecken,

nimm ne liese, und laß die man an dir deiner bu-
bennille fummeln, und irgendwann ist denn der
kotzelende abschuß, dann wird's oberwichtig,
wer wen verlassen hat, da hat man nämlich echt
punkte gemacht, wenn man der erste war. So
stellen sich frau wie mann hin und sagen mir:
mit fehlern und flausen kommst du erste sahne
durch. Die sagen mir: schau genau zu, wie wir's
anstellen, das ist nämlich gelungene partisanen-
arbeit, ne geile kunst, wo die man gelernt und beherrscht sein will. Die sagen mir: hör mal, kümmel, das ist doch wirklich jetzt kitsch, wenn du
man nach andren tarifen leben tust, komm uns
nicht mit pracht und herrlichkeit, und dein reden von wegen majestät und so kannst du innen
arsch schieben. Kaputt sein ist schwer in mode,
ob'n schissiger bourgeois oder'n punkiger sze-
nepenner, das macht null unterschied, weil das
olle alemannenvolk tag für tag ne bräsige rotze
schlucken tut, und so sind die wie's pack im
osten einst grölen tat, wirklich'n einzig land und
'n einzig volk im schlimmen geist des meu-
chelns und niedermachens. Mir meine kümmel-
devise aber, bruder, gibt'n scheißdreck auf so nen
popelpartisan mit'm ballertick, ich mach da man
in diesem scheißspiel nicht mit, ich sag mir: kanake, du bist und bleibst'n anderer, du bist und
bleibst'n menschenfreund, du bist und bleibst'n
reicheleutehasser, du bist und bleibst'n lebens-
gewinnler und klarheitshochrufer, und nur das
macht dich zum ollen kanaken mit nem brand-
stempel auf der stirn, wo der man heißt: ich bin
und bleib'n hasser eurer scheißregeln. Die krie-

gen das alle mit, weil die man den spruch an mir dem gesicht lesen tun und sich abwenden, und mich als moralathleten verfluchen, obwohl doch die innem korsett stecken und's gebot gefressen haben, ein leben lang zu säubern und's feld zu bereinigen. Ich kann dir man auflisten, was'n kanake echt sein läßt, ich geb dir man 'n beispiel: da gibt's doch sone typen innem schwarzen gewand und bleichschminke inner fresse, für solche isses von wert, 'n köter anner leine zu haben, das hebt denen ihren status, also quälen die ficker ihr getier, denn's kommt ja bei allem drauf an, ob's in ist oder out, und denn denkt 'n kanake: mann, egal ob's 'n bürgerlicher mösenmolch oder'n szenegeier ist, 'n hund muß eben immer her als statusheber. Das pack hier ist orntlich gestört, das lernt'n kanake, und so macht er 'n bogen um dies schofele treiben, denn wenn er mitmischen tut, wo jeder seine lausige exzentrik annen tag legt, wird er zum pufflouis mit'm schlimmschlaffen lochspanner zwischen den beinen, und denn gerät der bastard irgendwann an ne hippiklottenschrippe, an deren prinzeßbohne der kümmel denn mal gern nuckeln tut, um denn als gesäuberter türkenhund inner versenkung zu leben, wo's nimmer rausretten gibt, nur'n verrecken in kleinen portionen.

Im Namen des Allerbarmers

Yücel, 22, Islamist

Im namen des allerbarmers, des gnadenvollen. Dank sei ihm, der gläubige tatkraft in jede fiber meines leibes hineingeheißen, und einst, als er feuchten schlick im unendlichen handumfang gehalten und gewendet und gedreht und es so befunden, daß ins tote sein fruchtbar odem wehe auf sein geheiß und drängen, also einst, als er dies tat im anfang des werdens, auch meinen unwürdigen namen ins lebensstammbuch eingeschrieben in die endliche liste seiner ihm ergebenen knechte. Und sein knecht, der ich bekennend und wohlwissend und gar stolz bin, als sein knecht fange ich dies mein reden mit lob auf den großen wirker und woller an, möge er mir wahres wort auf die zunge legen und die lippen stählen und mir die stimme nicht brechen und mir bescheiden eine seele wie ein gespannter bogen, daß der pfeil ins schwarze des wider gott aufständischen herzen treffe.

Die gläubigen wenden sich ab vom tempeldienst, sie drehen ihr reines angesicht von hohen bauten der fäule, wo baal seine vasallen schrille laute gegen die kuppel ausstoßen läßt, und mit spitzen mündern und geiler lust auf's verderben und verrecken schlagen sich die götzendiener im gottlosen singsang die faust auf die hohle brust, und der götze hat wohlgefallen an der schar der säue, in denen der dämon seine werkstatt eingerichtet, baal der schlimmste verrücker von gut zu böse, von böse zu gut, streut heulenden widersinn ins eigeninnere der ewig verdammten, die, wenn ihr fleisch im grab eingesunken, bei wachem sinne erleben werden, wie der wurm sich sattlabt an ihrem kadaver. Wie im diesseits sie hort für sünden waren, werden sie sein im jenseits nest und nester für wurm und wurmgetümmel, gott erhöre mich.

Der anfechtungen sind viele hier in der ungläubigen land. Die jugend wird geführt in lästerung durch baalhörige unterteufel, die gier und lust erwecken, gier nach hab und noch mehr hab, und lust auf nacktes frauenfleisch, das entblößt und aller hüllen beraubt keinen gedanken oder freien willen haben darf, wie ein haus mit einer rundherumfassade und einem blütenweißen anstrich, geht man aber hinein, ist das haus entkernt, und es wohnt keine menschenseele, dafür ist es vom erbauer nicht erdacht worden, aber nur für den einzigen zweck, daß man blicke wirft und bestaunt. So ist die frau im westen allein eine blickfischerin, ein blicknetz mit tausend zugeworfenen leblosen zappelnden augen, und so lernt sie, daß es gut sei und nicht anders zu machen, ihren körper anzubieten, denn das gesetz schreibt vor, daß nacktheit sich auf jeden fall bezahlt macht, es ist nämlich so eine art

nackte gewalt. Gott erhöre mich. Und sie, die
männer, die jungen wie die alten, lernen direkt
vor ort die allererste weltprägung, und entdecken ein falsches bedürfnis nach dem anderen,
flicken das ganze zu einem seelenrock zusammen, und ziehen ihn an wie eine zweite haut,
und weil man leichter in der lüge lebt und bebt,
machen sie sich und andere glauben, das falsch-
fremde kleid passe wie angegossen, und sie wissen nicht, daß die sünde jener schneider war, der
maß genommen. Das, was die ungläubigen ge-
schlechterkrieg nennen, ist unfriede, ist erge-
benheit ins falsche los, ist abstieg in den kraft-
losen voranbeginn, als schlick nur feucht und
dreck war und ohne reine gottesseele.

Es herrscht hier bürgerkrieg zwischen mann
und frau, und ich sehe, daß sie sich betrügen und
hintergehen, schlagen und belügen, verkaufen
und verraten, ich höre, daß in jeder ihrer beteue-
rungen mindestens zwei dämonen stecken, und
in jedem dämon zwei falsche zungen sprechen,
und in jeder zunge zwei finsternisse harren. Ich
habe nirgendwo soviel niedertracht auf einem
haufen gesehen wie in der tausendfach bekannten und tausendmal verratenen liebe zwischen
mann und frau hier im westen. Gott sei mein
zeuge und erhöre mich. Und in diesem kalten
nest wachsen die kinder auf, und verlieren ihr
urvertrauen, weil sie ganz klar durchschauen,
daß die eltern philister und pharisäer sind,
heuchler ersten grades, verderber der kinder läm-
merseele, prediger der ordnung und zeuger eklig-
sten drecks. Es nimmt nicht wunder, daß die

nachkommen das kalte nest, diesen schutztempel fliehen, die würden ja, wenn es gesetzlich ginge, mit neun oder zehn das weite suchen, statt weiter teilzunehmen an dieser zinsfressergemeinschaft. Und ich habe es verstanden, so wahr es einen gütigen und herrlichen gott gibt im himmel wie auf erden, ja ich habe es verstanden: die tödlichste waffe des gläubigen gegen baals tempel und das sündige system ist radikale und fundamentale ablehnung all dessen, was krieg führt wider gott, die völlige nichtbeteiligung, und so sollen sie uns hassen als fundamentalisten, das ist eine auszeichnung, das ist uns ganz recht. Denn wir wollen die wurzel trockenlegen, und wir werden nicht müde, die weltlich inspirierte macht überall anzugreifen, wo wir ihr begegnen. Die politik führt krieg wider uns, die multinationalen konzerne führen krieg wider uns, die medien führen krieg wider uns. Was liest man nicht alles: hasser, frauenhasser, kinderfresser und überhaupt kannibalen. Die hure babylon zeigt ihre fratze, sie, die herrin über tausend schleichwege und intrigen. Gott erhöre mich.

Ich sage dir, mein panzer ist das wort gottes, geheiligt sei sein name, und sind die überlieferungen des propheten, friede sei mit ihm, und keine macht der welt kann mich brechen, denn ich habe das alte kleid abgelegt und zum wahren leben gefunden. Früher, da war auch ich den lastern ergeben, wie so viele unseres volkes noch dem laster anhängen, aber es war, als stillte all das, was ich in mich schlang und was ich glaubte zu genießen, den hunger nicht, im gegenteil, das große dunkle loch in mir wollte noch mehr nahrung und lust, bis ich glaubte, an meinem eigenen fetten gewicht zu ersticken.

Sieben schleier legt der versucher übers auge, doch der gewaltige kommt über alljede stadt und der prangende stab des hirten, und mehr zeichen und siegel vermag der allerschütterer über sein reich zu senden, und er befiehlt, daß wir uns auf seinem boden sollen siedeln lassen, und nicht des bösen statthalter krone als unsre krönung sehen. Ich, der ich mich seinem worte ergeben, esse koscheres geschächtetes fleisch, halte von mir fern alkohol, glücksspiel, zins und zinseszins, unzüchtige berührung mit einer nicht vom herrn zugesprochenen frau, ich vermeide die gesellschaft der glaubensspötter und baalanwinsler, ich suche nicht auf jene tempel, in denen sie ihrer sexualnot genügen, und ich nehme es auf mich, daß sie mich einen wunderlichen oder fanatischen nennen, weil mir an ihrer wertschätzung nicht gelegen ist. Die wahrheit dringt durch alle luken und spalten, sie dringt durch risse und ritzen, die wahrheit ist des wahren herrschers erreger, und an seiner verheißung werden angesteckt werden alle, die da glauben und die da nicht glauben. So spricht yücel, gottes knecht und ergebener diener.

Rotbuch
Literatur von heute

Rotbuch Verlag | Bei den Mühren 70 | 20457 Hamburg

Rotbuch
Literatur von heute

*Das vollständige Programm
finden Sie unter
www.rotbuch.de*

Rotbuch Verlag | Bei den Mühren 70 | 20457 Hamburg